Poèmes
&
chansons

Georges Brassens

Poèmes & chansons

Éditions musicales 57

Les culs-de-lampe qui accompagnent les poèmes sont des filigranes de papetiers des XIVe, XVe et XVIe siècles.

EN COUVERTURE : Photo Ledru © Sygma.

ISBN 1re publication : 2.900814.00.6
ISBN pour reprise en poche : 2.02.012928.0

Brassens (Georges), chanteur français, né à Sète en 1921. Auteur de chansons poétiques, pleines de verve et de non-conformisme.

Petit Larousse Illustré,
édition 1974

Disque 1

Face 1

La mauvaise réputation
Le fossoyeur
Le gorille
Le petit cheval
Ballade des dames du temps jadis
Hécatombe

Face 2

La chasse aux papillons
Le parapluie
La marine
Corne d'Aurochs
Il suffit de passer le pont
Comme hier

(1952-1954)

La mauvaise réputation

Au village, sans prétention,
J'ai mauvaise réputation;
Qu' je m'démène ou qu' je reste coi,
Je pass' pour un je-ne-sais-quoi.
Je ne fais pourtant de tort à personne,
En suivant mon ch'min de petit bonhomme;
Mais les brav's gens n'aiment pas que
L'on suive une autre route qu'eux...
Non, les brav's gens n'aiment pas que
L'on suive une autre route qu'eux...
Tout le monde médit de moi,
Sauf les muets, ça va de soi.

Le jour du quatorze-Juillet,
Je reste dans mon lit douillet;
La musique qui marche au pas,
Cela ne me regarde pas.
Je ne fais pourtant de tort à personne,
En n'écoutant pas le clairon qui sonne;
Mais les brav's gens n'aiment pas que
L'on suive une autre route qu'eux...
Non, les brav's gens n'aiment pas que
L'on suive une autre route qu'eux...
Tout le monde me montre au doigt,
Sauf les manchots, ça va de soi.

Quand j' croise un voleur malchanceux
Poursuivi par un cul-terreux,
J' lanc' la patte et, pourquoi le taire,
Le cul-terreux se r'trouv' par terre.
Je ne fais pourtant de tort à personne,
En laissant courir les voleurs de pommes ;
Mais les brav's gens n'aiment pas que
L'on suive une autre route qu'eux...
Non, les brav's gens n'aiment pas que
L'on suive une autre route qu'eux...
Tout le monde se ru' sur moi,
Sauf les culs-d'-jatt', ça va de soi.

Pas besoin d'être Jérémi'
Pour d' viner l' sort qui m'est promis :
S'ils trouv'nt une corde à leur goût,
Ils me la passeront au cou.
Je ne fais pourtant de tort à personne,
En suivant les ch'mins qui n' mèn'nt pas à Rome ;
Mais les brav's gens n'aiment pas que
L'on suive une autre route qu'eux...
Non, les brav's gens n'aiment pas que
L'on suive une autre route qu'eux...
Tout l' mond' viendra me voir pendu,
Sauf les aveugl's, bien entendu.

Le fossoyeur

Dieu sait qu' je n'ai pas le fond méchant,
Je ne souhait' jamais la mort des gens;
Mais si l'on ne mourait plus,
J' crèv'rais d' faim sur mon talus...
J' suis un pauvre fossoyeur.

Les vivants croient qu' je n'ai pas d' remords
A gagner mon pain sur l' dos des morts;
Mais ça m' tracasse et, d'ailleurs,
J' les enterre à contrecœur...
J' suis un pauvre fossoyeur.

Et plus j' lâch' la bride à mon émoi,
Et plus les copains s'amus'nt de moi;
Y m' dis'nt : « Mon vieux, par moments,
T'as un' figur' d'enterr'ment... »
J' suis un pauvre fossoyeur.

J'ai beau m' dir' que rien n'est éternel,
J' peux pas trouver ça tout naturel;
Et jamais je ne parviens
A prendr' la mort comme ell' vient...
J' suis un pauvre fossoyeur.

Ni vu ni connu, brav' mort, adieu!
Si du fond d' la terre on voit l' Bon Dieu,
Dis-lui l' mal que m'a coûté
La dernière pelleté'...
J' suis un pauvre fossoyeur. *(bis)*

Le gorille

C'est à travers de larges grilles,
Que les femelles du canton
Contemplaient un puissant gorille,
Sans souci du qu'en-dira-t-on ;
Avec impudeur, ces commères
Lorgnaient même un endroit précis
Que, rigoureusement, ma mère
M'a défendu d' nommer ici.
Gare au gorille !...

Tout à coup, la prison bien close,
Où vivait le bel animal,
S'ouvre on n' sait pourquoi (je suppose
Qu'on avait dû la fermer mal) ;
Le singe, en sortant de sa cage,
Dit : « C'est aujourd'hui que j' le perds ! »
Il parlait de son pucelage,
Vous aviez deviné, j'espère !
Gare au gorille !...

L' patron de la ménagerie
Criait, éperdu : « Nom de nom !
C'est assommant, car le gorille
N'a jamais connu de guenon ! »
Dès que la féminine engeance
Sut que le singe était puceau,
Au lieu de profiter d' la chance,
Elle fit feu des deux fuseaux !
Gare au gorille !...

Celles-là même qui, naguère,
Le couvaient d'un œil décidé,
Fuirent, prouvant qu'ell's n'avaient guère

De la suite dans les idé's ;
D'autant plus vaine était leur crainte,
Que le gorille est un luron
Supérieur à l'homm' dans l'étreinte,
Bien des femmes vous le diront !
Gare au gorille !...

Tout le monde se précipite
Hors d'atteinte du singe en rut,
Sauf une vieille décrépite
Et un jeune juge en bois brut.
Voyant que toutes se dérobent,
Le quadrumane accéléra
Son dandinement vers les robes
De la vieille et du magistrat !
Gare au gorille !...

« Bah ! soupirait la centenaire,
Qu'on pût encor me désirer,
Ce serait extraordinaire,
Et, pour tout dire, inespéré ! »
Le juge pensait, impassible :
« Qu'on me prenn' pour une guenon,
C'est complètement impossible... »
La suite lui prouva que non !
Gare au gorille !...

Supposez qu'un de vous puisse être,
Comme le singe, obligé de
Violer un juge ou une ancêtre,
Lequel choisirait-il des deux ?
Qu'une alternative pareille,
Un de ces quatre jours, m'échoie,
C'est, j'en suis convaincu, la vieille
Qui sera l'objet de mon choix !
Gare au gorille !...

Mais, par malheur, si le gorille
Aux jeux de l'amour vaut son prix,
On sait qu'en revanche il ne brille
Ni par le goût ni par l'esprit.
Lors, au lieu d'opter pour la vieille,
Comme aurait fait n'importe qui,
Il saisit le juge à l'oreille
Et l'entraîna dans un maquis !
Gare au gorille !...

La suite serait délectable,
Malheureusement, je ne peux
Pas la dire, et c'est regrettable,
Ça nous aurait fait rire un peu ;
Car le juge, au moment suprême,
Criait : « Maman ! », pleurait beaucoup,
Comme l'homme auquel, le jour même,
Il avait fait trancher le cou.
Gare au gorille !...

Le petit cheval

Poème de Paul Fort.

Le petit cheval dans le mauvais temps, qu'il avait donc du courage ! C'était un petit cheval blanc, tous derrière et lui devant.

Il n'y avait jamais de beau temps, dans ce pauvre paysage. Il n'y avait jamais de printemps, ni derrière ni devant.

Mais toujours il était content, menant les gars du village, à travers la pluie noire des champs, tous derrière et lui devant.

Sa voiture allait poursuivant sa belle petite queue sauvage. C'est alors qu'il était content, eux* derrière et lui devant.

Mais un jour, dans le mauvais temps, un jour qu'il était si sage, il est mort par un éclair blanc, tous derrière et lui devant.

Il est mort sans voir le beau temps, qu'il avait donc du courage ! Il est mort sans voir le printemps ni derrière ni devant.

Ballade des dames du temps jadis

Poème de François Villon.

Dictes-moy où, n'en quel pays,
Est Flora, la belle Romaine ;
Archipiada, ne Thaïs,
Qui fut sa cousine germaine ;
Echo, parlant quand bruyt on maine
Dessus rivière ou sus estan,
Qui beauté eut trop plus qu'humaine ?
Mais où sont les neiges d'antan !

* *Variante G.B. :* tous.

Où est la très sage Héloïs,
Pour qui fut chastré* et puis moyne
Pierre Esbaillart à Sainct-Denys ?
Pour son amour eut cest essoyne.
Semblablement, où est la royne
Qui commanda que Buridan
Fust gecté en ung sac en Seine ?
Mais où sont les neiges d'antan !

La royne Blanche comme ung lys,
Qui chantoit à voix de sereine,
Berthe au grand pied, Bietris, Allys ;
Harembourgis, qui tint le Mayne,
Et Jehanne, la bonne Lorraine,
Qu'Anglois bruslèrent à Rouen ;
Où sont-ils, Vierge souveraine ?...
Mais où sont les neiges d'antan !

Prince, n'enquerez de sepmaine
Où elles sont, ne de cest an,
Que ce refrain ne vous remaine :
Mais où sont les neiges d'antan !

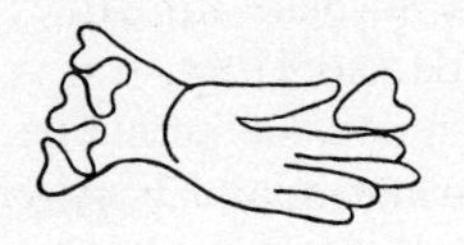

* *Variante G.B. :* chastré fut.

Hécatombe

Au marché de Briv'-la-Gaillarde,
A propos de bottes d'oignons,
Quelques douzaines de gaillardes
Se crêpaient un jour le chignon.
A pied, à cheval, en voiture,
Les gendarmes, mal inspirés,
Vinrent pour tenter l'aventure
D'interrompre l'échauffouré'.

Or, sous tous les cieux sans vergogne,
C'est un usag' bien établi,
Dès qu'il s'agit d' rosser les cognes
Tout l' monde se réconcili'.
Ces furi's, perdant tout' mesure,
Se ruèrent sur les guignols,
Et donnèrent, je vous l'assure,
Un spectacle assez croquignol.

En voyant ces braves pandores
Etre à deux doigts de succomber,
Moi, j' bichais, car je les adore
Sous la forme de macchabé's.
De la mansarde où je réside,
J'excitais les farouches bras
Des mégères gendarmicides,
En criant : « Hip, hip, hip, hourra ! »

Frénétiqu', l'une d'ell's attache
Le vieux maréchal des logis,
Et lui fait crier : « Mort aux vaches !
Mort aux lois ! Vive l'anarchi' ! »
Une autre fourre avec rudesse
Le crâne d'un de ces lourdauds

Entre ses gigantesques fesses
Qu'elle serre comme un étau.

La plus grasse de ces femelles,
Ouvrant son corsag' dilaté,
Matraque à grands coups de mamelles
Ceux qui passent à sa porté'.
Ils tombent, tombent, tombent, tombent,
Et, s'lon les avis compétents,
Il paraît que cett' hécatombe
Fut la plus bell' de tous les temps.

Jugeant enfin que leurs victimes
Avaient eu leur content de gnons,
Ces furi's, comme outrage ultime,
En retournant à leurs oignons,
Ces furi's, à peine si j'ose
Le dire, tellement c'est bas,
Leur auraient mêm' coupé les choses : } *(bis)*
Par bonheur ils n'en avaient pas ! }

La chasse aux papillons

Un bon petit diable à la fleur de l'âge,
La jambe légère et l'œil polisson,
Et la bouche plein' de joyeux ramages,
Allait à la chasse aux papillons.

Comme il atteignait l'oré' du village,
Filant sa quenouille, il vit Cendrillon,
Il lui dit : « Bonjour, que Dieu te ménage,
J' t'emmène à la chasse aux papillons. »

Cendrillon ravi' de quitter sa cage,
Met sa robe neuve et ses bottillons;
Et bras d'ssus bras d'ssous vers les frais bocages
Ils vont à la chasse aux papillons.

Ils ne savaient pas que, sous les ombrages,
Se cachait l'amour et son aiguillon,
Et qu'il transperçait les cœurs de leur âge,
Les cœurs des chasseurs de papillons.

Quand il se fit tendre, ell' lui dit : « J' présage
Qu' c'est pas dans les plis de mon cotillon,
Ni dans l'échancrure de mon corsage,
Qu'on va-t-à la chasse aux papillons. »

Sur sa bouche en feu qui criait : « Sois sage ! »
Il posa sa bouche en guis' de bâillon,
Et c' fut l' plus charmant des remu'-ménage
Qu'on ait vu d' mémoir' de papillon.

Un volcan dans l'âme, i' r'vinr'nt au village,
En se promettant d'aller des millions,
Des milliards de fois, et mêm' davantage,
Ensemble à la chasse aux papillons.

Mais tant qu'ils s'aim'ront, tant que les nuages,
Porteurs de chagrins, les épargneront,
I' f'ra bon voler dans les frais bocages,
I' f'ront pas la chasse aux papillons.

Le parapluie

Il pleuvait fort sur la grand-route,
Ell' cheminait sans parapluie.
J'en avais un, volé, sans doute,
Le matin même à un ami ;
Courant alors à sa rescousse,
Je lui propose un peu d'abri.
En séchant l'eau de sa frimousse,
D'un air très doux, ell' m'a dit « oui ».

Chemin faisant, que ce fut tendre
D'ouïr à deux le chant joli
Que l'eau du ciel faisait entendre
Sur le toit de mon parapluie !
J'aurais voulu, comme au déluge,
Voir sans arrêt tomber la pluie,
Pour la garder, sous mon refuge,
Quarante jours, quarante nuits.

Mais bêtement, même en orage,
Les routes vont vers des pays ;
Bientôt le sien fit un barrage
A l'horizon de ma folie !
Il a fallu qu'elle me quitte,
Après m'avoir dit grand merci,
Et je l'ai vu', toute petite,
Partir gaiement vers mon oubli...

Refrain

Un p'tit coin d' parapluie
Contre un coin d' paradis,
Elle avait quelque chos' d'un ange,

Un p'tit coin d' paradis,
Contre un coin d' parapluie,
Je n' perdrais pas au chang', pardi !

La marine

Poème de Paul Fort.

On les r'trouve en raccourci, dans nos p'tits amours d'un jour, toutes les joies, tous les soucis des amours qui durent toujours !

C'est là l' sort de la marine et de toutes nos p'tites chéries. On accoste. Vite ! un bec pour nos baisers, l' corps avec.

Et les joies et les bouderies, les fâcheries, les bons retours, il y a tout, en raccourci, des grands amours dans nos p'tits.

Tout c' qu'on fait dans un seul jour ! et comme on allonge le temps ! Plus d' trois fois, dans un seul jour, content, pas content, content*.

On a ri, on s'est baisés sur les neunœils, les nénés, dans les ch'veux à pleins bécots, pondus comme des œufs tout chauds*.

...

* *Variante G.B. :* ces deux strophes interverties.

Y' a dans la chambre une odeur d'amour tendre et de goudron.
Ça vous met la joie au cœur, la peine aussi, et c'est bon.

...

On n'est pas là pour causer... Mais on pense, même dans l'amour. On pense que d'main il fera jour, et qu' c'est une calamité.

C'est là l' sort de la marine, et de toutes nos p'tites chéries. On s'accoste. Mais on devine qu' ça n' sera pas le paradis.

On aura beau s' dépêcher, faire, bon Dieu ! la pige au temps, et l' bourrer de tous nos péchés, ça n' sera pas ça ; et pourtant

toutes les joies, tous les soucis des amours qui durent toujours, on les r'trouve en raccourci dans nos p'tits amours d'un jour...

...

Corne d'Aurochs

Il avait nom Corne d'Aurochs, ô gué ! ô gué !
Tout l' mond' peut pas s'app'ler Durand, ô gué !
[ô gué !
Il avait nom Corne d'Aurochs, ô gué ! ô gué !
Tout l' mond' peut pas s'app'ler Durand, ô gué !
[ô gué !

En le regardant avec un œil de poète,
On aurait pu croire, à son frontal de prophète,
Qu'il avait les grand's eaux d' Versailles dans la tête,
Corne d'Aurochs.

Mais que le Bon Dieu lui pardonne, ô gué ! ô gué !
C'étaient celles du robinet ! ô gué ! ô gué !
Mais que le Bon Dieu lui pardonne, ô gué ! ô gué !
C'étaient celles du robinet ! ô gué ! ô gué !

On aurait pu croire, en l' voyant penché sur l'onde,
Qu'il se plongeait dans des méditations profondes
Sur l'aspect fugitif des choses de ce monde...
Corne d'Aurochs.

C'était, hélas ! pour s'assurer, ô gué ! ô gué !
Qu' le vent n' l'avait pas décoiffé, ô gué ! ô gué !
C'était, hélas ! pour s'assurer, ô gué ! ô gué !
Qu' le vent n' l'avait pas décoiffé, ô gué ! ô gué !

Il proclamait à sons de trompe à tous les carrefours :
« Il n'y'a qu' les imbécil's qui sachent bien faire
[l'amour,
La virtuosité, c'est une affaire de balourds ! »
Corne d'Aurochs.

Il potassait à la chandel', ô gué ! ô gué !
Des traités de maintien sexuel, ô gué ! ô gué !
Et sur les femm's nu's des musé's, ô gué ! ô gué !
Faisait l' brouillon de ses baisers, ô gué ! ô gué !

Petit à petit, ô gué ! ô gué !
On a tout su de lui, ô gué ! ô gué !

On a su qu'il était enfant de la patrie...
Qu'il était incapable de risquer sa vie

Pour cueillir un myosotis à une fille,
Corne d'Aurochs.

Qu'il avait un petit cousin, ô gué ! ô gué !
Haut placé chez les argousins, ô gué ! ô gué !
Et que les jours de pénuri', ô gué ! ô gué !
Il prenait ses repas chez lui, ô gué ! ô gué !

C'est même en revenant d' chez cet antipathique,
Qu'il tomba victim' d'une indigestion critique
Et refusa l' secours de la thérapeutique,
Corne d'Aurochs.

Parc' que c'était à un All'mand, ô gué ! ô gué !
Qu'on devait le médicament, ô gué ! ô gué !
Parc' que c'était à un All'mand, ô gué ! ô gué !
Qu'on devait le médicament, ô gué ! ô gué !

Il rendit comme il put son âme machinale,
Et sa vi' n'ayant pas été originale,
L'État lui fit des funérailles nationales...
Corne d'Aurochs.

Alors sa veuve en gémissant, ô gué ! ô gué !
Coucha-z-avec son remplaçant, ô gué ! ô gué ! } *(bis)*

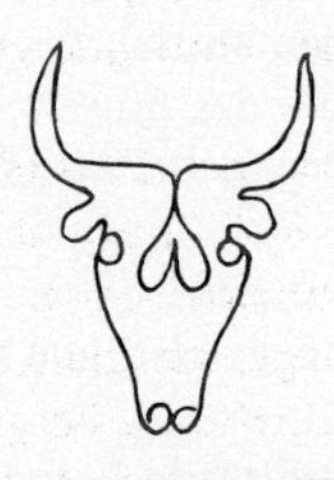

Il suffit de passer le pont

Il suffit de passer le pont,
C'est tout de suite l'aventure!
Laisse-moi tenir ton jupon,
J' t'emmèn' visiter la nature!
L'herbe est douce à Pâques fleuri's...
Jetons mes sabots, tes galoches,
Et, légers comme des cabris,
Courons après les sons de cloches!
Dinn din don! les matines sonnent
En l'honneur de notre bonheur,
Ding ding dong! faut l' dire à personne :
J'ai graissé la patte au sonneur.

Laisse-moi tenir ton jupon,
Courons, guilleret, guillerette,
Il suffit de passer le pont
Et c'est le royaum' des fleurettes...
Entre tout's les bell's que voici,
Je devin' cell' que tu préfères...
C'est pas l' coqu'licot, Dieu merci!
Ni l' coucou, mais la primevère.
J'en vois un' blotti' sous les feuilles,
Elle est en velours comm' tes jou's.
Fais le guet pendant qu' je la cueille :
« Je n'ai jamais aimé que vous! »

Il suffit de trois petits bonds,
C'est tout de suit' la tarentelle,
Laisse-moi tenir ton jupon,
J' saurai ménager tes dentelles...
J'ai graissé la patte au berger
Pour lui fair' jouer une aubade.
Lors, ma mi', sans croire au danger,

Faisons mille et une gambades,
Ton pied frappe et frappe la mousse...
Si l' chardon s'y pique dedans,
Ne pleure pas, ma mi' qui souffre :
Je te l'enlève avec les dents !

On n'a plus rien à se cacher,
On peut s'aimer comm' bon nous semble,
Et tant mieux si c'est un péché :
Nous irons en enfer ensemble !
Il suffit de passer le pont, } *(bis)*
Laisse-moi tenir ton jupon. }

Comme hier !

Poème de Paul Fort.*

Hé ! donn' moi ta bouche, hé ! ma jolie fraise ! L'aube a mis des frais's plein notr' horizon. Garde tes dindons, moi mes porcs, Thérèse. Ne r'pouss' pas du pied mes p'tits cochons.

Va, comme hier ! comme hier ! comme hier ! si tu ne m'aimes point, c'est moi qui t'aim'rons. L'un tient le couteau, l'autre la cuiller : la vie, c'est toujours les mêmes chansons.

Pour sauter l'gros sourceau de pierre en pierre, comme tous les jours mes bras t'enlèv'ront. Nos dindes, nos truies

* *Version G.B.*

nous suivront légères. Ne r'pousse pas du pied mes p'tits cochons.

Va, comme hier ! comme hier ! comme hier ! si tu ne m'aimes point, c'est moi qui t'aim'rons. La vie, c'est toujours amour et misère. La vie, c'est toujours les mêmes chansons.

J'ai tant de respect pour ton cœur, Thérèse, et pour tes dindons, quand nous nous aimons. Quand nous nous fâchons, hé ! ma jolie fraise, ne r'pouss' pas du pied mes p'tits cochons.

Va comme hier ! comme hier ! comme hier ! Si tu ne m'aimes point, c'est moi qui t'aim'rons. L'un tient le couteau, l'autre la cuiller : la vie, c'est toujours la même chanson.

Disque 2

Face 1

Les amoureux des bancs publics
Brave Margot
Pauvre Martin
La première fille
La cane de Jeanne
Je suis un voyou

Face 2

J'ai rendez-vous avec vous
Le vent
Il n'y a pas d'amour heureux
La mauvaise herbe
Le mauvais sujet repenti
P... de toi

(1952-1954)

Les amoureux des bancs publics

Les gens qui voient de travers
Pensent que les bancs verts
Qu'on voit sur les trottoirs
Sont faits pour les impotents ou les ventripotents.
Mais c'est une absurdité,
Car, à la vérité,
Ils sont là, c'est notoir',
Pour accueillir quelque temps les amours débutant's.

Refrain

Les amoureux qui s' bécot'nt sur les bancs publics,
Bancs publics, bancs publics,
En s' foutant pas mal du r'gard oblique
Des passants honnêtes,
Les amoureux qui s' bécot'nt sur les bancs publics,
Bancs publics, bancs publics,
En s' disant des « Je t'aim' » pathétiques,
Ont des p'tit's gueul's bien sympathiques !

Ils se tiennent par la main,
Parlent du lendemain,
Du papier bleu d'azur
Que revêtiront les murs de leur chambre à coucher...
Ils se voient déjà, douc'ment,
Ell' cousant, lui fumant,

Dans un bien-être sûr,
Et choisissent les prénoms de leur premier bébé...

Quand la saint' famille Machin
Croise sur son chemin
Deux de ces malappris,
Ell' leur décoch' hardiment des propos venimeux...
N'empêch' que tout' la famille
(Le pèr', la mèr', la fill', le fils, le Saint-Esprit...)
Voudrait bien, de temps en temps,
Pouvoir s' conduir' comme eux.

Quand les mois auront passé,
Quand seront apaisés
Leurs beaux rêves flambants,
Quand leur ciel se couvrira de gros nuages lourds,
Ils s'apercevront, émus,
Qu' c'est au hasard des ru's,
Sur un d' ces fameux bancs,
Qu'ils ont vécu le meilleur morceau de leur amour...

Brave Margot

Margoton, la jeune bergère,
Trouvant dans l'herbe un petit chat
Qui venait de perdre sa mère,
L'adopta...
Elle entrouvre sa collerette
Et le couche contre son sein.
C'était tout c' qu'elle avait, pauvrette,
Comm' coussin...
Le chat, la prenant pour sa mère,

Se mit à téter tout de go.
Emu', Margot le laissa faire...
Brav' Margot !
Un croquant, passant à la ronde,
Trouvant le tableau peu commun,
S'en alla le dire à tout l' monde,
Et, le lendemain...

Refrain

Quand Margot dégrafait son corsage
Pour donner la gougoutte à son chat,
Tous les gars, tous les gars du village,
Étaient là, la la la la la la...
Étaient là, la la la la la...
Et Margot, qu'était simple et très sage,
Présumait qu' c'était pour voir son chat
Qu' tous les gars, qu' tous les gars du village,
Étaient là, la la la la la la...
Étaient là, la la la la la...

L' maître d'école et ses potaches,
Le mair', le bedeau, le bougnat,
Négligeaient carrément leur tâche
Pour voir ça...
Le facteur, d'ordinair' si preste,
Pour voir ça, ne distribuait plus
Les lettres que personne, au reste,
N'aurait lues...

Pour voir ça (Dieu le leur pardonne !)
Les enfants de chœur, au milieu
Du saint sacrifice, abandonnent
Le saint lieu...
Les gendarmes, mêm' les gendarmes,
Qui sont par natur' si ballots,

Se laissaient toucher par les charmes
Du joli tableau...

Mais les autr's femm's de la commune,
Privé's d' leurs époux, d' leurs galants,
Accumulèrent la rancune,
Patiemment...
Puis un jour, ivres de colère,
Elles s'armèrent de bâtons
Et, farouch's, elles immolèrent
Le chaton...
La bergère, après bien des larmes,
Pour s' consoler prit un mari,
Et ne dévoila plus ses charmes
Que pour lui...
Le temps passa sur les mémoires,
On oublia l'événement,
Seuls des vieux racontent encore
A leurs p'tits enfants...

Pauvre Martin

Avec une bêche à l'épaule,
Avec, à la lèvre, un doux chant,
Avec, à la lèvre, un doux chant,
Avec, à l'âme, un grand courage,
Il s'en allait trimer aux champs !

Pauvre Martin, pauvre misère,
Creuse la terr', creuse le temps !

Pour gagner le pain de sa vie,
De l'aurore jusqu'au couchant,
De l'aurore jusqu'au couchant,
Il s'en allait bêcher la terre
En tous les lieux, par tous les temps !

Pauvre Martin, pauvre misère,
Creuse la terr', creuse le temps !

Sans laisser voir, sur son visage,
Ni l'air jaloux ni l'air méchant,
Ni l'air jaloux ni l'air méchant,
Il retournait le champ des autres,
Toujours bêchant, toujours bêchant !

Pauvre Martin, pauvre misère,
Creuse la terr', creuse le temps !

Et quand la mort lui a fait signe
De labourer son dernier champ,
De labourer son dernier champ,
Il creusa lui-même sa tombe
En faisant vite, en se cachant...

Pauvre Martin, pauvre misère,
Creuse la terr', creuse le temps !

Il creusa lui-même sa tombe
En faisant vite, en se cachant,
En faisant vite, en se cachant,
Et s'y étendit sans rien dire
Pour ne pas déranger les gens...

Pauvre Martin, pauvre misère,
Dors sous la terr', dors sous le temps !

La première fille

J'ai tout oublié des campagnes
D'Austerlitz et de Waterloo,
D'Itali', de Prusse et d'Espagne,
De Pontoise et de Landerneau !

Jamais de la vie
On ne l'oubliera,
La première fill'
Qu'on a pris' dans ses bras,
La première étrangère
A qui l'on a dit « tu »
(Mon cœur, t'en souviens-tu ?)
Comme ell' nous était chère...
Qu'ell' soit fille honnête
Ou fille de rien,
Qu'elle soit pucelle
Ou qu'elle soit putain,
On se souvient d'elle,
On s'en souviendra,
D' la premièr' fill'
Qu'on a pris' dans ses bras.

Ils sont partis à tire-d'aile
Mes souvenirs de la Suzon,
Et ma mémoire est infidèle
A Juli', Rosette ou Lison !

Jamais de la vie
On ne l'oubliera,
La première fill'
Qu'on a pris' dans ses bras,
C'était un' bonne affaire

(Mon cœur, t'en souviens-tu ?)
J'ai changé ma vertu
Contre une primevère...

Qu' ce soit en grand' pompe
Comme les gens « bien »,
Ou bien dans la ru',
Comm' les pauvre' et les chiens,
On se souvient d'elle
On s'en souviendra,
D' la premièr' fill'
Qu'on a pris' dans ses bras.

Toi, qui m'as donné le baptême
D'amour et de septième ciel,
Moi, je te garde et, moi, je t'aime,
Dernier cadeau du Pèr' Noël !

Jamais de la vie
On ne l'oubliera,
La première fill'
Qu'on a pris' dans ses bras,
On a beau fair' le brave,
Quand ell' s'est mise nue
(Mon cœur, t'en souviens-tu ?)
On n'en menait pas large...
Bien d'autres, sans doute,
Depuis, sont venues,
Oui, mais, entre tout's
Celles qu'on a connues,
Elle est la dernière
Que l'on oubliera,
La premièr' fill'
Qu'on a pris' dans ses bras.

La cane de Jeanne

La cane
De Jeanne
Est morte au gui l'an neuf...
L'avait pondu, la veille,
Merveille !
Un œuf.

La cane
De Jeanne
Est morte d'avoir fait,
Du moins on le présume,
Un rhume,
Mauvais !

La cane
De Jeanne
Est morte sur son œuf,
Et dans son beau costume
De plumes,
Tout neuf !

La cane
De Jeanne
Ne laissant pas de veuf,
C'est nous autres qui eûmes
Les plumes,
Et l'œuf !

Tous, toutes,
Sans doute,
Garderons longtemps le
Souvenir de la cane
De Jeanne
Morbleu !

Je suis un voyou

Ci-gît au fond de mon cœur une histoire ancienne,
Un fantôme, un souvenir d'une que j'aimais...
Le temps, à grands coups de faux, peut faire des siennes,
Mon Bel amour dure encore, et c'est à jamais...

J'ai perdu la tramontane
En trouvant Margot,
Princesse vêtu' de laine,
Déesse en sabots...
Si les fleurs, le long des routes,
S' mettaient à marcher,
C'est à la Margot, sans doute,
Qu' ell's feraient songer...
J' lui ai dit : « De la Madone,
Tu es le portrait ! »
Le Bon Dieu me le pardonne,
C'était un peu vrai...
Qu'il me le pardonne ou non,
D'ailleurs, je m'en fous,
J'ai déjà mon âme en peine :
Je suis un voyou.

La mignonne allait aux vêpres
Se mettre à genoux,
Alors j'ai mordu ses lèvres
Pour savoir leur goût...
Ell' m'a dit, d'un ton sévère :
« Qu'est-ce que tu fais là ? »
Mais elle m'a laissé faire,
Les fill's, c'est comm' ça...
J' lui ai dit : « Par la Madone,
Reste auprès de moi !
Le Bon Dieu me le pardonne,

Mais chacun pour soi...
Qu'il me le pardonne ou non,
D'ailleurs, je m'en fous,
J'ai déjà mon âme en peine :
Je suis un voyou.

C'était une fille sage,
A « bouch', que veux-tu ?
J'ai croqué dans son corsage
Les fruits défendus...
Ell' m'a dit d'un ton sévère :
« Qu'est-ce que tu fais là ? »
Mais elle m'a laissé faire,
Les fill's, c'est comm' ça...
Puis, j'ai déchiré sa robe,
Sans l'avoir voulu...
Le Bon Dieu me le pardonne,
Je n'y tenais plus !
Qu'il me le pardonne ou non,
D'ailleurs, je m'en fous,
J'ai déjà mon âme en peine :
Je suis un voyou.

J'ai perdu la tramontane
En perdant Margot,
Qui épousa, contre son âme,
Un triste bigot...
Elle doit avoir à l'heure,
A l'heure qu'il est,
Deux ou trois marmots qui pleurent
Pour avoir leur lait...
Et, moi, j'ai tété leur mère
Longtemps avant eux...
Le Bon Dieu me le pardonne,
J'étais amoureux !
Qu'Il me le pardonne ou non,

D'ailleurs, je m'en fous,
J'ai déjà mon âme en peine :
Je suis un voyou.

J'ai rendez-vous avec vous

Monseigneur l'astre solaire,
Comm' je n' l'admir' pas beaucoup,
M'enlèv' son feu, oui mais, d' son feu, moi j' m'en fous,
J'ai rendez-vous avec vous !
La lumièr' que je préfère,
C'est cell' de vos yeux jaloux,
Tout le restant m'indiffère,
J'ai rendez-vous avec vous !

Monsieur mon propriétaire,
Comm' je lui dévaste tout,
M' chass' de son toit, oui mais, d' son toit, moi j' m'en [fous,
J'ai rendez-vous avec vous !
La demeur' que je préfère,
C'est votre robe à froufrous,
Tout le restant m'indiffère,
J'ai rendez-vous avec vous !

Madame ma gargotière,
Comm' je lui dois trop de sous,
M' chass' de sa tabl', oui mais, d' sa tabl', moi j' m'en [fous,
J'ai rendez-vous avec vous,
Le menu que je préfère
C'est la chair de votre cou,

Tout le restant m'indiffère,
J'ai rendez-vous avec vous !

Sa Majesté financière,
Comm' je n' fais rien à son goût,
Garde son or, or, de son or, moi j' m'en fous,
J'ai rendez-vous avec vous !
La fortun' que je préfère,
C'est votre cœur d'amadou,
Tout le restant m'indiffère,
J'ai rendez-vous avec vous !

Le vent

Refrain

Si, par hasard,
Sur l' pont des Arts,
Tu crois's le vent, le vent fripon,
Prudenc', prends garde à ton jupon !
Si, par hasard,
Sur l' pont des Arts,
Tu crois's le vent, le vent maraud,
Prudent, prends garde à ton chapeau !

Les jean-foutre et les gens probes
Médis'nt du vent furibond
Qui rebrouss' les bois,
Détrouss' les toits,
Retrouss' les robes...
Des jean-foutre et des gens probes,
Le vent, je vous en réponds,
S'en soucie, et c'est justic', comm' de colin-tampon !

Bien sûr, si l'on ne se fonde
Que sur ce qui saute aux yeux,
Le vent semble une brut' raffolant de nuire à tout
[l' monde...
Mais une attention profonde
Prouv' que c'est chez les fâcheux
Qu'il préfèr' choisir les victim's de ses petits jeux !

Il n'y a pas d'amour heureux

Poème de Louis Aragon.

Rien n'est jamais acquis à l'homme Ni sa force
Ni sa faiblesse ni son cœur Et quand il croit
Ouvrir ses bras son ombre est celle d'une croix
Et quand il croit* serrer son bonheur il le broie
Sa vie est un étrange et douloureux divorce
Il n'y a pas d'amour heureux.

Sa vie Elle ressemble à ces soldats sans armes
Qu'on avait habillés pour un autre destin
A quoi peut leur servir de se lever matin
Eux qu'on retrouve au soir désœuvrés incertains
Dites ces mots Ma vie Et retenez vos larmes
Il n'y a pas d'amour heureux.

Mon bel amour mon cher amour ma déchirure
Je te porte dans moi comme un oiseau blessé
Et ceux-là sans savoir nous regardent passer
Répétant après moi les mots que j'ai tressés

* *Variante G.B.* : veut.

Et qui pour tes grands yeux tout aussitôt moururent
Il n'y a pas d'amour heureux.

Le temps d'apprendre à vivre il est déjà trop tard
Que pleurent dans la nuit nos cœurs à l'unisson
Ce qu'il faut de malheur pour la moindre chanson
Ce qu'il faut de regrets pour payer un frisson
Ce qu'il faut de sanglots pour un air de guitare
Il n'y a pas d'amour heureux.

...

La mauvaise herbe

Quand l' jour de gloire est arrivé,
Comm' tous les autr's étaient crevés,
Moi seul connus le déshonneur
De n' pas êtr' mort au champ d'honneur.

Je suis d' la mauvaise herbe,
Braves gens, braves gens,
C'est pas moi qu'on rumine
Et c'est pas moi qu'on met en gerbe...
La mort faucha les autres,
Braves gens, braves gens,
Et me fit grâce à moi,
C'est immoral et c'est comm' ça!
La la la la la la la la
La la la la la la la la
Et je m' demand'
Pourquoi, Bon Dieu, *(bis)*
Ça vous dérange
Que j' vive un peu...

La fille a tout l' monde a bon cœur,
Ell' me donne, au petit bonheur,
Les p'tits bouts d' sa peau, bien cachés,
Que les autres n'ont pas touchés.

Je suis d' la mauvaise herbe,
Braves gens, braves gens,
C'est pas moi qu'on rumine
Et c'est pas moi qu'on met en gerbe...
Elle se vend aux autres,
Braves gens, braves gens,
Elle se donne à moi,
C'est immoral et c'est comm' ça !
La la la la la la la la
La la la la la la la la
Et je m' demand'
Pourquoi, Bon Dieu,
Ça vous dérange
Qu'on m'aime un peu... *(bis)*

Les hommes sont faits, nous dit-on,
Pour vivre en band', comm' les moutons.
Moi, j' vis seul, et c'est pas demain
Que je suivrai leur droit chemin.

Je suis d' la mauvaise herbe,
Braves gens, braves gens,
C'est pas moi qu'on rumine
Et c'est pas moi qu'on met en gerbe...
Je suis d' la mauvaise herbe,
Braves gens, braves gens,
Je pousse en liberté
Dans les jardins mal fréquentés !
La la la la la la la la
La la la la la la la la

Et je m' demand'
Pourquoi, Bon Dieu,
Ça vous dérange
Que j' vive un peu... *(bis)*

Le mauvais sujet repenti

Elle avait la taill' faite au tour,
Les hanches pleines,
Et chassait l' mâle aux alentours
De la Mad'leine...
A sa façon d' me dir' : « Mon rat,
Est-c' que j' te tente ? »
Je vis que j'avais affaire à
Un' débutante...

L'avait l' don, c'est vrai, j'en conviens,
L'avait l' génie,
Mais, sans technique, un don n'est rien
Qu'un' sal' manie...
Certes, on ne se fait pas putain
Comme on s' fait nonne.
C'est du moins c' qu'on prêche, en latin,
A la Sorbonne...

Me sentant rempli de pitié
Pour la donzelle,
J' lui enseignai, de son métier,
Les p'tit's ficelles...
J' lui enseignai l' moyen d' bientôt
Faire fortune,
En bougeant l'endroit où le dos
R'ssemble à la lune...

Car, dans l'art de fair' le trottoir,
Je le confesse,
Le difficile est d' bien savoir
Jouer des fesses...
On n' tortill' pas son popotin
D' la mêm' manière,
Pour un droguiste, un sacristain,
Un fonctionnaire...

Rapidement instruite par
Mes bons offices,
Elle m'investit d'une part
D' ses bénéfices...
On s'aida mutuellement,
Comm' dit l' poète.
Ell' était l' corps, naturell'ment,
Puis moi la tête...

Un soir, à la suite de
Manœuvres douteuses,
Ell' tomba victim' d'une
Maladie honteuse...
Lors, en tout bien, toute amitié,
En fille probe,
Elle me passa la moitié
De ses microbes...

Après des injections aiguës
D'antiseptique,
J'abandonnai l' métier d' cocu
Systématique...
Elle eut beau pousser des sanglots,
Braire à tu'-tête,
Comme je n'étais qu'un salaud,
J' me fis honnête...

Sitôt privé' de ma tutell',
Ma pauvre amie
Courut essuyer du bordel
Les infamies...
Paraît qu'elle' s' vend même à des flics,
Quell' décadence !
Y'a plus d' moralité publiqu'
Dans notre France...

P... de toi

En ce temps-là, je vivais dans la lune,
Les bonheurs d'ici-bas m'étaient tous défendus,
Je semais des violett's et chantais pour des prunes
Et tendais la patte aux chats perdus...

Refrain

Ah ah ah ah ! putain de toi !
Ah ah ah ah ah ah ! pauvre de moi...

Un soir de plui', v' là qu'on gratte à ma porte,
Je m'empresse d'ouvrir (sans doute un nouveau chat !)
Nom de Dieu ! l' beau félin que l'orage m'apporte,
C'était toi, c'était toi, c'était toi...

Les yeux fendus et couleur de pistache,
T'as posé sur mon cœur ta patte de velours...
Fort heureus'ment pour moi, t'avais pas de moustache
Et ta vertu ne pesait pas trop lourd...

Aux quatre coins de ma vi' de bohème,
Tu as prom'né, tu as prom'né le feu de tes vingt ans,
Et pour moi, pour mes chats, pour mes fleurs,
[mes poèmes,
C'était toi, la pluie et le beau temps...

Mais le temps passe et fauche à l'aveuglette,
Notre amour mûrissait à peine que, déjà,
Tu brûlais mes chansons, crachais sur mes violettes,
Et faisais des misères à mes chats...

Le comble enfin, misérable salope,
Comme il n' restait plus rien dans le garde-manger.
T'as couru sans vergogne, et pour une escalope,
Te jeter dans le lit du boucher!

C'était fini, t'avais passé les bornes,
Et r'nonçant aux amours frivoles d'ici-bas,
J' suis r'monté dans la lune en emportant mes cornes,
Mes chansons, et mes fleurs, et mes chats...

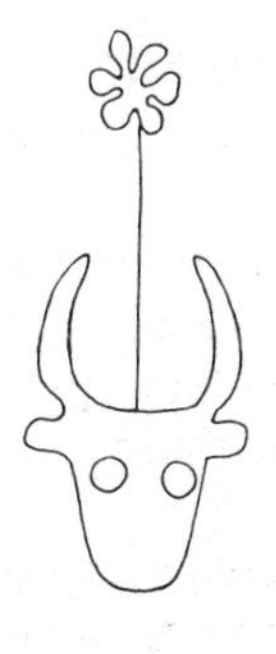

Disque 3

Face 1

Chanson pour l'Auvergnat
Les sabots d'Hélène
Marinette
Une jolie fleur
La légende de la nonne
Colombine

Face 2

Auprès de mon arbre
Gastibelza
Le testament
La prière
Le nombril des femmes d'agents
Les croquants

(1953-1956)

Chanson pour l'Auvergnat

Elle est à toi, cette chanson,
Toi, l'Auvergnat qui, sans façon,
M'as donné quatre bouts de bois
Quand, dans ma vie, il faisait froid,
Toi qui m'as donné du feu quand
Les croquantes et les croquants,
Tous les gens bien intentionnés,
M'avaient fermé la porte au nez...
Ce n'était rien qu'un feu de bois,
Mais il m'avait chauffé le corps,
Et dans mon âme il brûle encor'
A la manièr' d'un feu de joi'.

Toi, l'Auvergnat, quand tu mourras,
Quand le croqu'-mort t'emportera,
Qu'il te conduise, à travers ciel,
Au Père éternel.

Elle est à toi, cette chanson,
Toi, l'Hôtesse qui, sans façon,
M'as donné quatre bouts de pain
Quand, dans ma vie, il faisait faim,
Toi qui m'ouvris ta huche quand
Les croquantes et les croquants,
Tous les gens bien intentionnés,
S'amusaient à me voir jeûner...

Ce n'était rien qu'un peu de pain,
Mais il m'avait chauffé le corps,
Et dans mon âme il brûle encor'
A la manièr' d'un grand festin.

Toi, l'Hôtesse, quand tu mourras,
Quand le croqu'-mort t'emportera,
Qu'il te conduise, à travers ciel,
Au Père éternel.

Elle est à toi, cette chanson,
Toi, l'Etranger qui, sans façon,
D'un air malheureux m'as souri
Lorsque les gendarmes m'ont pris,
Toi qui n'a pas applaudi quand
Les croquantes et les croquants,
Tous les gens bien intentionnés,
Riaient de me voir amené...
Ce n'était rien qu'un peu de miel,
Mais il m'avait chauffé le corps,
Et dans mon âme il brûle encor'
A la manièr' d'un grand soleil.

Toi, l'Etranger, quand tu mourras,
Quand le croqu'-mort t'emportera,
Qu'il te conduise, à travers ciel,
Au Père éternel.

Les sabots d'Hélène

Les sabots d'Hélène
Étaient tout crottés,
Les trois capitaines
L'auraient appelé' vilaine,
Et la pauvre Hélène
Était comme une âme en peine...
Ne cherche plus longtemps de fontaine,
Toi qui as besoin d'eau,
Ne cherche plus : aux larmes d'Hélène
Va-t'en remplir ton seau.

Moi j'ai pris la peine
De les déchausser,
Les sabots d'Hélène,
Moi qui ne suis pas capitaine,
Et j'ai vu ma peine
Bien récompensée...
Dans les sabots de la pauvre Hélène,
Dans ses sabots crottés,
Moi j'ai trouvé les pieds d'une reine
Et je les ai gardés.

Son jupon de laine
Était tout mité,
Les trois capitaines
L'auraient appelé' vilaine,
Et la pauvre Hélène
Était comme une âme en peine...
Ne cherche plus longtemps de fontaine,
Toi qui as besoin d'eau,
Ne cherche plus : aux larmes d'Hélène
Va-t'en remplir ton seau.

Moi j'ai pris la peine
De le retrousser,
Le jupon d'Hélène,
Moi qui ne suis pas capitaine,
Et j'ai vu ma peine
Bien récompensée...
Sous le jupon de la pauvre Hélène,
Sous son jupon mité,
Moi j'ai trouvé des jambes de reine
Et je les ai gardées.

Et le cœur d'Hélène
N' savait pas chanter,
Les trois capitaines
L'auraient appelé' vilaine,
Et la pauvre Hélène
Était comme une âme en peine...
Ne cherche plus longtemps de fontaine,
Toi qui as besoin d'eau,
Ne cherche plus : aux larmes d'Hélène
Va-t'en remplir ton seau.

Moi j'ai pris la peine
De m'y arrêter,
Dans le cœur d'Hélène
Moi qui ne suis pas capitaine,
Et j'ai vu ma peine
Bien récompensée...
Et, dans le cœur de la pauvre Hélène,
Qui avait jamais chanté,
Moi j'ai trouvé l'amour d'une reine
Et moi je l'ai gardé.

Marinette

Quand j'ai couru chanter ma p'tit' chanson pour
[Marinette,
La belle, la traîtresse était allée à l'Opéra...
Avec ma p'tit' chanson, j'avais l'air d'un con, ma mère,
Avec ma p'tit' chanson, j'avais l'air d'un con.

Quand j'ai couru porter mon pot de moutarde à
[Marinette,
La belle, la traîtresse avait déjà fini d' dîner...
Avec mon petit pot, j'avais l'air d'un con, ma mère,
Avec mon petit pot, j'avais l'air d'un con.

Quand j'offris pour étrenn's un' bicyclette à Marinette,
La belle, la traîtresse avait acheté une auto...
Avec mon p'tit vélo, j'avais l'air d'un con, ma mère,
Avec mon p'tit vélo, j'avais l'air d'un con.

Quand j'ai couru, tout chose, au rendez-vous de Marinette,
La bell' disait : « J' t'adore ! » à un sal' typ' qui
[l'embrassait...
Avec mon bouquet d' fleurs, j'avais l'air d'un con,
[ma mère,
Avec mon bouquet d' fleurs, j'avais l'air d'un con.

Quand j'ai couru brûler la p'tit' cervelle à Marinette,
La belle était déjà morte d'un rhume mal placé...
Avec mon revolver, j'avais l'air d'un con, ma mère,
Avec mon revolver, j'avais l'air d'un con.

Quand j'ai couru, lugubre, à l'enterr'ment de Marinette,
La belle, la traîtresse était déjà ressuscitée...
Avec ma p'tit' couronn', j'avais l'air d'un con, ma mère,
Avec ma p'tit' couronn', j'avais l'air d'un con.

Une jolie fleur

Jamais sur terre il n'y eut d'amoureux
Plus aveugle que moi dans tous les âges,
Mais faut dir' qu' je m'étais crevé les yeux
En regardant de trop près son corsage...

Refrain

Un' joli' fleur dans une peau d' vache,
Un' joli' vach' déguisée en fleur,
Qui fait la belle et qui vous attache,
Puis, qui vous mèn' par le bout du cœur...

Le ciel l'avait pourvu' des mille appas
Qui vous font prendre feu dès qu'on y touche,
L'en avait tant que je ne savais pas
Ne savais plus où donner de la bouche...

Ell' n'avait pas de tête, ell' n'avait pas
L'esprit beaucoup plus grand qu'un dé à coudre,
Mais pour l'amour on ne demande pas
Aux filles d'avoir inventé la poudre...

Puis un jour elle a pris la clef des champs
En me laissant à l'âme un mal funeste,
Et toutes les herbes de la Saint-Jean
N'ont pas pu me guérir de cette peste...

J' lui en ai bien voulu mais, à présent,
J'ai plus d' rancune et mon cœur lui pardonne
D'avoir mis mon cœur à feu et à sang
Pour qu'il ne puiss' plus servir à personne...

La légende de la nonne

Poème de Victor Hugo

Venez, vous dont l'œil étincelle,
Pour entendre une histoire encor,
Approchez : je vous dirai celle
De doña Padilla del Flor.
Elle était d'Alanje, où s'entassent
Les collines et les halliers. —
Enfants, voici des bœufs qui passent,
Cachez vos rouges tabliers !

Il est des filles à Grenade,
Il en est à Séville aussi,
Qui, pour la moindre sérénade,
A l'amour demandent merci ;
Il en est que parfois embrassent,
Le soir, de hardis cavaliers. —
Enfants, voici des bœufs qui passent.
Cachez vos rouges tabliers !

Ce n'est pas sur ce ton frivole
Qu'il faut parler de Padilla,
Car jamais prunelle espagnole
D'un feu plus chaste ne brilla ;
Elle fuyait ceux qui pourchassent
Les filles sous les peupliers. —
Enfants, voici des bœufs qui passent
Cachez vos rouges tabliers !

...

Elle prit le voile à Tolède,
Au grand soupir des gens du lieu,

Comme si, quand on n'est pas laide,
On avait droit d'épouser Dieu.
Peu s'en fallut que ne pleurassent
Les soudards et les écoliers. —
Enfants, voici des bœufs qui passent,
Cachez vos rouges tabliers !

...

Or, la belle à peine cloîtrée,
Amour en son cœur s'installa.
Un fier brigand de la contrée
Vint alors et dit : Me voilà !
Quelquefois les brigands surpassent
En audace les chevaliers. —
Enfants, voici des bœufs qui passent,
Cachez vos rouges tabliers !

Il était laid : des* traits austères,
La main plus rude que le gant ;
Mais l'amour a bien des mystères,
Et la nonne aima le brigand.
On voit des biches qui remplacent
Leurs beaux cerfs par des sangliers. —
Enfants, voici des bœufs qui passent,
Cachez vos rouges tabliers !

...

La nonne osa, dit la chronique,
Au brigand par l'enfer conduit,
Aux pieds de sainte Véronique
Donner un rendez-vous la nuit,
A l'heure où les corbeaux croassent,

* *Variante G.B.* : « les » traits austères.

Volant dans l'ombre par milliers. —
Enfants, voici les bœufs qui passent,
Cachez vos rouges tabliers !

...

Or quand, dans la nef descendue,
La nonne appela le bandit,
Au lieu de la voix attendue,
C'est la foudre qui répondit.
Dieu voulut que ses coups frappassent
Les amants par Satan liés. —
Enfants, voici les bœufs qui passent,
Cachez vos rouges tabliers !

...

Cette histoire de la novice,
Saint Ildefonse, abbé, voulut
Qu'afin de préserver du vice
Les vierges qui font leur salut,
Les prieurs la racontassent
Dans tous les couvents réguliers. —
Enfants, voici des bœufs qui passent,
Cachez vos rouges tabliers !

Colombine

Poème de Paul Verlaine.

Léandre le sot,
Pierrot qui d'un saut
De puce
Franchit le buisson,
Cassandre sous son
Capuce,

Arlequin aussi,
Cet aigrefin si
Fantasque,
Aux costumes fous,
Ses* yeux luisant sous
Son** masque,

— Do, mi, sol, mi, fa, —
Tout ce monde va,
Rit, chante
Et danse devant
Une frêle enfant
Méchante

Dont les yeux pervers
Comme les yeux verts
Des chattes
Gardent ses appas
Et disent : « A bas
Les pattes ! »

Variantes G.B. :
* « Les » yeux.
** « Le » masque.

...

L'implacable enfant,
Preste et relevant
Ses jupes,
La rose au chapeau,
Conduit son troupeau
De dupes !

Auprès de mon arbre

J'ai plaqué mon chêne
Comme un saligaud,
Mon copain le chêne,
Mon *alter ego*,
On était du même bois
Un peu rustique, un peu brut,
Dont on fait n'importe quoi
Sauf, naturell'ment, les flûtes...
J'ai maint'nant des frênes,
Des arbres de Judée,
Tous de bonne graine,
De haute futaie...
Mais, toi, tu manque' à l'appel,
Ma vieill' branche de campagne,
Mon seul arbre de Noël,
Mon mât de cocagne !

Refrain

Auprès de mon arbre,
Je vivais heureux,

J'aurais jamais dû m'éloigner de mon arbre...
Auprès de mon arbre,
Je vivais heureux,
J'aurais jamais dû le quitter des yeux...

Je suis un pauv' type,
J'aurai plus de joie :
J'ai jeté ma pipe,
Ma vieill' pipe en bois,
Qui' avait fumé sans s'fâcher,
Sans jamais m' brûler la lippe,
L' tabac d' la vache`enragée
Dans sa bonn' vieill' têt' de pipe...
J'ai des pip's d'écume
Orné's de fleurons,
De ces pip's qu'on fume
En levant le front,
Mais j' retrouv'rai plus, ma foi,
Dans mon cœur ni sur ma lippe,
Le goût d' ma vieill' pip' en bois,
Sacré nom d'un' pipe !

Le surnom d'infâme
Me va comme un gant :
D'avecque ma femme
J'ai foutu le camp,
Parc' que, depuis tant d'anné's,
C'était pas un' sinécure
De lui voir tout l' temps le nez
Au milieu de la figure...
Je bats la campagne
Pour dénicher la
Nouvelle compagne
Valant celle-là,
Qui, bien sûr, laissait beaucoup
Trop de pierr's dans les lentilles,

Mais se pendait à mon cou
Quand j' perdais mes billes!

J'avais un' mansarde
Pour tout logement,
Avec des lézardes
Sur le firmament,
Je l' savais par cœur depuis
Et, pour un baiser la course,
J'emmenais mes bell's de nuit
Faire un tour sur la grande Ourse...
J'habit' plus d' mansarde,
Il peut désormais
Tomber des hall'bardes,
Je m'en bats l'œil mais,
Mais si quelqu'un monte aux cieux
Moins que moi, j'y pai' des prunes :
Y'a cent sept ans, qui dit mieux,
Qu' j'ai pas vu la lune!

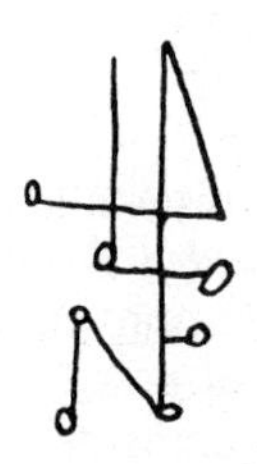

Gastibelza
(L'Homme à la carabine)

Poème de Victor Hugo.

Gastibelza, l'homme à la carabine,
Chantait ainsi :
« Quelqu'un a-t-il connu doña Sabine ?
Quelqu'un d'ici ?
Dansez, chantez*, villageois ! la nuit gagne
Le mont Falu
— Le vent qui vient à travers la montagne
Me rendra fou !

« Quelqu'un de vous a-t-il connu Sabine,
Ma señora ?
Sa mère était la vieille maugrabine
D'Antequera,
Qui chaque nuit criait dans la tour Magne
Comme un hibou... —
Le vent qui vient à travers la montagne
Me rendra fou.

...

« Vraiment, la reine eût près d'elle été laide
Quand, vers le soir,
Elle passait sur le pont de Tolède
En corset noir.
Un chapelet du temps de Charlemagne
Ornait son cou... —
Le vent qui vient à travers la montagne
Me rendra fou.

* *Variante G.B.* : Chantez, dansez.

Le roi disait, en la voyant si belle,
A son neveu :
« Pour un baiser, pour un sourire d'elle,
Pour un cheveu,
Infant don Ruy, je donnerais l'Espagne
Et le Pérou !
Le vent qui vient à travers la montagne
Me rendra fou.

« Je ne sais pas si j'aimais cette dame,
Mais je sais bien
Que, pour avoir un regard de son âme,
Moi, pauvre chien,
J'aurais gaîment passé dix ans au bagne
Sous le* verrou... —
Le vent qui vient à travers la montagne
Me rendra fou.

...

« Quand je voyais cette enfant, moi le pâtre
De ce canton,
Je croyais voir la belle Cléopâtre,
Qui, nous dit-on,
Menait César, empereur d'Allemagne,
Par le licou... —
Le vent qui vient à travers la montagne
Me rendra fou.

« Dansez, chantez, villageois, la nuit tombe
Sabine, un jour,
A tout vendu, sa beauté de colombe,
Et** son amour,

Variantes G.B. :
* « les » verrous...
** « Tout ».

Pour l'anneau d'or du comte de Saldagne,
Pour un bijou... —
Le vent qui vient à travers la montagne
Me rendra* fou.

Le testament

Je serai triste comme un saule
Quand le Dieu qui partout me suit
Me dira, la main sur l'épaule :
« Va-t'en voir là-haut si j'y suis. »
Alors, du ciel et de la terre
Il me faudra faire mon deuil...
Est-il encor debout le chêne } *(bis)*
Ou le sapin de mon cercueil ? }

S'il faut aller au cimetière,
J' prendrai le chemin le plus long,
J' ferai la tombe buissonnière,
J' quitterai la vie à reculons...
Tant pis si les croqu'-morts me grondent,
Tant pis s'ils me croient fou à lier,
Je veux partir pour l'autre monde } *(bis)*
Par le chemin des écoliers }

Avant d'aller conter fleurette
Aux belles âmes des damné's,
Je rêv' d'encore une amourette,
Je rêv' d'encor' m'enjuponner...

* *Variante G.B. :* « M'a rendu ».

Encore un' fois dire : « Je t'aime »...
Encore un' fois perdre le nord
En effeuillant le chrysanthème } *(bis)*
Qui'est la marguerite des morts. }

Dieu veuill' que ma veuve s'alarme
En enterrant son compagnon,
Et qu' pour lui fair' verser des larmes
Il n'y ait pas besoin d'oignon...
Qu'elle prenne en secondes noces
Un époux de mon acabit :
Il pourra profiter d' mes bottes, } *(bis)*
Et d' mes pantoufle' et d' mes habits. }

Qu'il boiv' mon vin, qu'il aim' ma femme,
Qu'il fum' ma pipe et mon tabac,
Mais que jamais — mort de mon âme ! —
Jamais il ne fouette mes chats...
Quoique je n'ai' pas un atome,
Une ombre de méchanceté,
S'il fouett' mes chats, y'a un fantôme } *(bis)*
Qui viendra le persécuter }

Ici-gît une feuille morte,
Ici finit mon testament...
On a marqué dessus ma porte :
« Fermé pour caus' d'enterrement. »
J'ai quitté la vi' sans rancune,
J'aurai plus jamais mal aux dents :
Me v'là dans la fosse commune, } *(bis)*
La fosse commune du temps. }

La prière

Poème de Francis Jammes.

Agonie.

Par le petit garçon qui meurt près de sa mère
tandis que des enfants s'amusent au parterre;
et par l'oiseau blessé qui ne sait pas comment
son aile tout à coup s'ensanglante et descend
par la soif et la faim et le délire ardent :
Je vous salue, Marie.

Flagellation.

Par les gosses battus par l'ivrogne qui rentre,
par l'âne qui reçoit des coups de pied au ventre
* par l'humiliation de l'innocent châtié,
par la vierge vendue qu'on a déshabillée,
par le fils dont la mère a été insultée :
Je vous salue, Marie.

...

Portement de Croix.

Par la vieille qui, trébuchant sous trop de poids,
s'écrie : « Mon Dieu ! » Par le malheureux dont les bras
ne purent s'appuyer sur une amour humaine
comme la Croix du Fils sur Simon de Cyrène;
par le cheval tombé sous le chariot qu'il traîne
Je vous salue, Marie.

* *Variante G.B. :* et par.

Crucifiement.

Par les quatre horizons qui crucifient le Monde,
par tous ceux dont la chair se déchire ou succombe,
par ceux qui sont sans pieds, par ceux qui sont sans mains,
par le malade que l'on opère et qui geint
et par le juste mis au rang des assassins :
Je vous salue, Marie.

...

Invention de Notre Seigneur au Temple.

Par la mère apprenant que son fils est guéri,
par l'oiseau rappelant l'oiseau tombé du nid,
par l'herbe qui a soif et recueille l'ondée,
par le baiser perdu par l'amour redonné,
et par le mendiant retrouvant sa monnaie :
Je vous salue, Marie.

Le nombril des femmes d'agents

Voir le nombril d' la femm' d'un flic
N'est certain'ment pas un spectacle
Qui, du point d' vu' de l'esthétiqu',
Puiss' vous élever au pinacle...
Il y eut pourtant, dans l' vieux Paris,
Un honnête homme sans malice
Brûlant d' contempler le nombril
D' la femme' d'un agent de police...

« Je me fais vieux, gémissait-il,
Et, durant le cours de ma vie,

J'ai vu bon nombre de nombrils
De toutes les catégories :
Nombrils d' femm's de croqu'-morts, nombrils
D' femm's de bougnats, d' femm's de jocrisses,
Mais je n'ai jamais vu celui
D' la femm' d'un agent de police...

« Mon père a vu, comm' je vous vois,
Des nombrils de femm's de gendarmes,
Mon frère a goûté plus d'un' fois
D' ceux des femm's d'inspecteurs, les charmes...
Mon fils vit le nombril d' la souris
D'un ministre de la Justice...
Et moi, j' nai même pas vu l' nombril
D' la femm' d'un agent de police... »

Ainsi gémissait en public
Cet honnête homme vénérable,
Quand la légitime d'un flic,
Tendant son nombril secourable,
Lui dit : « Je m'en vais mettre fin
A votre pénible supplice,
Vous fair' voir le nombril enfin
D' la femm' d'un agent de police... »

« *Alleluia!* fit le bon vieux,
De mes tourments voici la trêve !
Grâces soient rendu's au Bon Dieu,
Je vais réaliser mon rêve ! »
Il s'engagea, tout attendri,
Sous les jupons d' sa bienfaitrice,
Braquer ses yeux, sur le nombril
D' la femm' d'un agent de police...

Mais, hélas ! il était rompu
Par les effets de sa hantise,

Et comme il atteignait le but
De cinquante ans de convoitise,
La mort, la mort, la mort le prit
Sur l'abdomen de sa complice :
Il n'a jamais vu le nombril
D' la femm' d'un agent de police...

Les croquants

Les croquants vont en ville, à cheval sur leurs sous,
Acheter des pucelle' aux saintes bonnes gens,
Les croquants leur mett'nt à prix d'argent
La main dessus, la main dessous...
Mais la chair de Lisa, la chair fraîch' de Lison
(Que les culs cousus d'or se fass'nt une raison !)
C'est pour la bouch' du premier venu
Qui' a les yeux tendre' et les mains nues...

Refrain

Les croquants, ça les attriste, ça
Les étonne, les étonne,
Qu'une fille, une fill' bell' comm' ça,
S'abandonne, s'abandonne
Au premier Ostrogoth venu :
Les croquants, ça tombe des nues.

Les fill's de bonnes mœurs, les fill's de bonne vie,
Qui' ont vendu leur fleurette à la foire à l'encan,
Vont s' vautrer dans la couch' des croquants,
Quand les croquants en ont envie...
Mais la chair de Lisa, la chair fraîch' de Lison

(Que les culs cousus d'or se fass'nt une raison !)
N'a jamais accordé ses faveurs
A contre-sous, à contrecœur.

Les fill's de bonne vie ont le cœur consistant
Et la fleur qu'on y trouve est garanti' longtemps,
Comm' les fleurs en papier des chapeaux,
Les fleurs en pierre des tombeaux...
Mais le cœur de Lisa, le grand cœur de Lison
Aime faire peau neuve avec chaque saison :
Jamais deux fois la même couleur,
Jamais deux fois la même fleur...

Disque 4

Face 1

Je me suis fait tout petit
L'amandier
Oncle Archibald
La marche nuptiale
Les lilas

Face 2

Au bois de mon cœur
Grand-Père
Celui qui a mal tourné
Le vin
Philistins

(1955-1957)

Je me suis fait tout petit

Je n'avais jamais ôté mon chapeau
Devant personne...
Maintenant je rampe et je fais le beau
Quand ell' me sonne.
J'étais chien méchant... ell' me fait manger
Dans sa menotte.
J'avais des dents d' loup... je les ai changées
Pour des quenottes !

Refrain

Je m' suis fait tout p'tit devant un' poupée
Qui ferm' les yeux quand on la couche,
Je m' suis fait tout p'tit devant un' poupée
Qui fait « maman » quand on la touche.

J'étais dur à cuire... ell' m'a converti,
La fine mouche,
Et je suis tombé, tout chaud, tout rôti,
Contre sa bouche
Qui' a des dents de lait quand elle sourit,
Quand elle chante,
Et des dents de loup quand elle est furi',
Qu'elle est méchante.

Je subis sa loi, je file tout doux
Sous son empire,
Bien qu'ell' soit jalouse au-delà de tout,
Et même pire...
Un' joli' pervench', qui m'avait paru
Plus joli' qu'elle,
Un' joli' pervenche un jour en mourut
A coups d'ombrelle.

Tous les somnambules, tous les mages m'ont
Dit, sans malice,
Qu'en ses bras en croix je subirai mon
Dernier supplice...
Il en est de pir's, il en est d' meilleurs,
Mais, à tout prendre,
Qu'on se pende ici, qu'on se pende ailleurs...
S'il faut se pendre.

L'amandier

J'avais l' plus bel amandier } *(bis)*
Du quartier, }
Et, pour la bouche gourmande
Des filles du monde entier,
J' faisais pousser des amandes :
Le beau, le joli métier !

Un écureuil en jupon, } *(bis)*
Dans un bond, }
Vint me dir' : « Je suis gourmande
Et mes lèvres sentent bon,
Et, si tu m' donn's une amande,
J' te donne un baiser fripon !

— Grimpe aussi haut que tu veux,
Que tu peux, } *(bis)*
Et tu croqu's, et tu picores,
Puis tu grignot's, et puis tu
Redescends plus vite encore
Me donner le baiser dû ! »

Quand la belle eut tout rongé,
Tout mangé... } *(bis)*
« Je te paierai, me dit-elle,
A pleine bouche quand les
Nigauds seront pourvus d'ailes
Et que tu sauras voler !

« Mont' m'embrasser si tu veux,
Si tu peux... } *(bis)*
Mais dis-toi que, si tu tombes,
J' n'aurai pas la larme à l'œil,
Dis-toi que, si tu succombes,
Je n' porterai pas le deuil ! »

Les avait, bien entendu,
Toutes mordues, } *(bis)*
Tout's grignoté's, mes amandes,
Ma récolte était perdue,
Mais sa joli' bouch' gourmande
En baisers m'a tout rendu !

Et la fête dura tant
Qu' le beau temps... } *(bis)*
Mais vint l'automne, et la foudre,
Et la pluie, et les autans
Ont changé mon arbre en poudre...
Et mon amour en mêm' temps !

Oncle Archibald

O vous, les arracheurs de dents,
Tous les cafards, les charlatans,
Les prophètes,
Comptez plus sur oncle Archibald
Pour payer les violons du bal
A vos fêtes... *(bis)*

En courant sus à un voleur
Qui venait de lui chiper l'heure
A sa montre,
Oncle Archibald, — coquin de sort ! —
Fit, de Sa Majesté la Mort,
La rencontre... *(bis)*

Telle un' femm' de petit' vertu,
Elle arpentait le trottoir du
Cimetière,
Aguichant les homm's en troussant
Un peu plus haut qu'il n'est décent
Son suaire... *(bis)*

Oncle Archibald, d'un ton gouailleur,
Lui dit : « Va-t'en fair' pendre ailleurs
Ton squelette...
Fi ! des femelles décharnées !
Vive les bell's un tantinet
Rondelettes ! » *(bis)*

Lors, montant sur ses grands chevaux,
La Mort brandit la longue faux
D'agronome
Qu'elle serrait dans son linceul,
Et faucha d'un seul coup, d'un seul,
Le bonhomme... *(bis)*

Comme il n'avait pas l'air content,
Elle lui dit : « Ça fait longtemps
Que je t'aime...
Et notre hymen à tous les deux
Était prévu depuis l' jour de
Ton baptême... *(bis)*

« Si tu te couches dans mes bras,
Alors la vi' te semblera
Plus facile...
Tu y seras hors de portée
Des chiens, des loups, des homm's et des
Imbéciles... *(bis)*

« Nul n'y contestera tes droits,
Tu pourras crier : *Viv' le roi !*
Sans intrigue...
Si l'envi' te prend de changer,
Tu pourras crier sans danger :
Viv' la Ligue ! *(bis)*

« Ton temps de dupe est révolu,
Personne ne se payera plus
Sur ta bête...
Les « Plaît-il, maître ? » auront plus cours,
Plus jamais tu n'auras à cour-
ber la tête... » *(bis)*

Et mon oncle emboîta le pas
De la bell', qui ne semblait pas,
Si féroce...
Et les voilà, bras d'ssus, bras d'ssous,
Les voilà partis je n' sais où
Fair' leurs noces... *(bis)*

Tous les cafards, les charlatans,
Les prophètes,
Comptez plus sur oncle Archibald
Pour payer les violons du bal
A vos fêtes... *(bis)*

La marche nuptiale

Mariage d'amour, mariage d'argent,
J'ai vu se marier toutes sortes de gens :
Des gens de basse source et des grands de la terre,
Des prétendus coiffeurs, des soi-disant notaires...

Quand même je vivrais jusqu'à la fin des temps,
Je garderais toujours le souvenir content
Du jour de pauvre noce où mon père et ma mère
S'allèrent épouser devant Monsieur le Maire.

C'est dans un char à bœufs, s'il faut parler bien franc,
Tiré par les amis, poussé par les parents,
Que les vieux amoureux firent leurs épousailles
Après long temps d'amour, long temps de fiançailles.

Cortège nuptial hors de l'ordre courant,
La foule nous couvait d'un œil protubérant :
Nous étions contemplés par le monde futile
Qui n'avait jamais vu de noce de ce style.

Voici le vent qui souffle emportant, crève-cœur !
Le chapeau de mon père et les enfants de chœur...
Voilà la plui' qui tombe en pesant bien ses gouttes,
Comme pour empêcher la noc', coûte que coûte.

Je n'oublierai jamais la mariée en pleurs
Berçant comme un' poupé' son gros bouquet de fleurs...
Moi, pour la consoler, moi, de toute ma morgue,
Sur mon harmonica jouant les grandes orgues.

Tous les garçons d'honneur, montrant le poing aux nues,
Criaient : « Par Jupiter, la noce continue ! »
Par les homm's décrié', par les dieux contrariée,
La noce continue et Viv' la mariée !

Les lilas

Quand je vais chez la fleuriste, } *(bis)*
Je n'achèt' que des lilas...
Si ma chanson chante triste
C'est que l'amour n'est plus là.

Comm' j'étais, en quelque sorte, } *(bis)*
Amoureux de ces fleurs-là,
Je suis entré par la porte,
Par la porte des Lilas.

Des lilas, y' en avait guère, } *(bis)*
Des lilas, y' en avait pas,
Z'étaient tous morts à la guerre,
Passés de vie à trépas.

J' suis tombé sur une belle } *(bis)*
Qui fleurissait un peu là,
J'ai voulu greffer sur elle
Mon amour pour les lilas.

J'ai marqué d'une croix blanche
Le jour où l'on s'envola, } *(bis)*
Accrochés à une branche,
Une branche de lilas.

Pauvre amour, tiens bon la barre,
Le temps va passer par là, } *(bis)*
Et le temps est un barbare
Dans le genre d'Attila.

Aux cœurs où son cheval passe,
L'amour ne repousse pas, } *(bis)*
Aux quatre coins de l'espace
Il fait le désert sous ses pas.

Alors, nos amours sont mortes,
Envolé's dans l'au-delà, } *(bis)*
Laissant la clé sous la porte,
Sous la porte des Lilas.

La fauvette des dimanches,
Cell' qui me donnait le la, } *(bis)*
S'est perché' sur d'autres branches,
D'autres branches de lilas.

Quand je vais chez la fleuriste,
Je n'achèt' que des lilas... } *(bis)*
Si ma chanson chante triste
C'est que l'amour n'est plus là.

Au bois de mon cœur

Au bois d' Clamart y' a des petit's fleurs,
Y' a des petit's fleurs,
Y' a des copains au, au bois d' mon cœur,
Au, au bois d' mon cœur.

Au fond de d' ma cour j' suis renommé, *(bis)*
J' suis renommé
Pour avoir le cœur mal famé,
Le cœur mal famé.

Au bois d' Vincenne' y' a des petit's fleurs,
Y' a des petit's fleurs,
Y' a des copains au, au bois d' mon cœur,
Au, au bois d' mon cœur.

Quand y' a plus d' vin dans mon tonneau, *(bis)*
Dans mon tonneau,
Ils n'ont pas peur de boir' mon eau,
De boire mon eau.

Au bois d' Meudon y' a des petit's fleurs,
Y' a des petit's fleurs,
Y' a des copains au, au bois d' mon cœur,
Au, au bois d' mon cœur.

Ils m'accompagn'nt à la mairie, *(bis)*
A la mairie,
Chaque fois que je me marie,
Que je me marie.

Au bois d' Saint-Cloud y' a des petit's fleurs,
Y' a des petit's fleurs,
Y' a des copains au, au bois d' mon cœur,
Au, au bois d' mon cœur.

Chaqu' fois qu' je meurs fidèlement, *(bis)*
Fidèlement,
Ils suivent mon enterrement
Mon enterrement.

... des petites fleurs... *(bis)*
Au, au bois d' mon cœur... *(bis)*

Grand-père

Grand-pèr' suivait en chantant
La route qui mène à cent ans.
La mort lui fit, au coin d'un bois,
L' coup du pèr' François.
L'avait donné de son vivant
Tant de bonheur à ses enfants
Qu'on fit, pour lui en savoir gré,
Tout pour l'enterrer.
Et l'on courut à toutes jam-
Bes quérir une bière, mais...
Comme on était légers d'argent,
Le marchand nous reçut à bras fermés.

« Chez l'épicier, pas d'argent, pas d'épices,
Chez la belle Suzon, pas d'argent, pas de cuisse...
Les morts de basse condition,
C'est pas de ma juridiction. »

Or, j'avais hérité d' grand-père
Un' pair' de bott's pointu's.
S'il y a des coups d' pied que'que part qui s' perdent,
C'lui-là toucha son but.

C'est depuis ce temps-là que le bon apôtre, *(bis)*
Ah ! c'est pas joli...
Ah ! c'est pas poli...
A un' fess' qui dit merde à l'autre.

Bon papa,
Ne t'en fais pas :
Nous en viendrons
A bout de tous ces empêcheurs d'enterrer en rond.

Le mieux à faire et le plus court,
Pour qu' l'enterr'ment suivît son cours,
Fut de borner nos prétentions
A un' bièr' d'occasion.
Contre un pot de miel on acquit
Les quatre planches d'un mort qui
Rêvait d'offrir quelques douceurs
A une âme sœur.
Et l'on courut à toutes jam-
Bes quérir un corbillard, mais...
Comme on était légers d'argent,
Le marchand nous reçut à bras fermés.

« Chez l'épicier, pas d'argent, pas d'épices,
Chez la belle Suzon, pas d'argent, pas de cuisse...
Les morts de basse condition,
C'est pas de ma juridiction. »

Ma bott' partit, mais je m' refuse
De dir' vers quel endroit,
Ça rendrait les dames confuses
Et je n'en ai pas le droit.

C'est depuis ce temps-là que le bon apôtre, *(bis)*
Ah ! c'est pas joli...
Ah ! c'est pas poli...
A un' fess' qui dit merde à l'autre.

Bon papa,
Ne t'en fais pas :
Nous en viendrons
A bout de tous ces empêcheurs d'enterrer en rond.

Le mieux à faire et le plus court,
Pour qu' l'enterr'ment suivît son cours,
Fut de porter sur notre dos
L' funèbre fardeau.
S'il eût pu revivre un instant,
Grand-père aurait été content
D'aller à sa dernièr' demeur'
Comme un empereur.
Et l'on courut à toutes jam-
Bes quérir un goupillon, mais...
Comme on était légers d'argent,
Le marchand nous reçut à bras fermés.

« Chez l'épicier, pas d'argent, pas d'épices,
Chez la belle Suzon, pas d'argent, pas de cuisse...
Les morts de basse condition,
C'est pas de ma bénédiction. »

Avant même que le vicaire
Ait pu lâcher un cri,
J' lui bottai l' cul au nom du Pèr',
Du Fils et du Saint-Esprit.

C'est depuis ce temps-là que le bon apôtre, *(bis)*
Ah ! c'est pas joli...
Ah ! c'est pas poli...
A un' fess' qui dit merde à l'autre.

Bon papa,
Ne t'en fais pas :

Nous en viendrons
A bout de tous ces empêcheurs d'enterrer en rond. *(bis)*

Celui qui a mal tourné

Il y avait des temps et des temps
Qu' je n' m'étais pas servi d' mes dents,
Qu' je n' mettais pas d' vin dans mon eau
Ni de charbon dans mon fourneau.
Tous les croqu'-morts, silencieux,
Me dévoraient déjà des yeux :
Ma dernière heure allait sonner...
C'est alors que j'ai mal tourné.

N'y allant pas par quatre chemins,
J'estourbis en un tournemain,
En un coup de bûche excessif,
Un noctambule en or massif.
Les chats fourrés, quand ils l'ont su,
M'ont posé la patte dessus
Pour m'envoyer à la Santé
Me refaire une honnêteté.

Machin, Chose, Un tel, Une telle,
Tous ceux du commun des mortels
Furent d'avis que j'aurais dû
En bonn' justice être pendu
A la lanterne et sur-le-champ.
Y s' voyaient déjà partageant
Ma corde, en tout bien tout honneur,
En guise de porte-bonheur.

Au bout d'un siècle, on m'a jeté
A la porte de la Santé.
Comme je suis sentimental,
Je retourne au quartier natal,
Baissant le nez, rasant les murs,
Mal à l'aise sur mes fémurs,
M'attendant à voir les humains
Se détourner de mon chemin.

Y' en a un qui m'a dit : « Salut !
Te revoir, on n'y comptait plus... »
Y' en a un qui m'a demandé
Des nouvelles de ma santé.
Lors, j'ai vu qu'il restait encor
Du monde et du beau mond' sur terre,
Et j'ai pleuré, le cul par terre,
Toutes les larmes de mon corps.

Le vin

Avant de chanter
Ma vi', de fair' des
Harangues,
Dans ma gueul' de bois
J'ai tourné sept fois
Ma langue...
J' suis issu de gens
Qui étaient pas du gen-
re sobre...
On conte que j'eus
La tétée au jus
D'octobre...

Mes parents ont dû
M'trouver au pied d'u-
ne souche,
Et non dans un chou,
Comm' ces gens plus ou
Moins louches...
En guise de sang
(O noblesse sans
Pareille !)
Il coule en mon cœur
La chaude liqueur
D' la treille...

Quand on est un sa-
ge, et qu'on a du sa-
voir-boire,
On se garde à vue,
En cas de soif, u-
ne poire...
Une poire... ou deux,
Mais en forme de
Bonbonne,
Au ventre replet
Rempli du bon lait
D' l'automne...

Jadis, aux Enfers,
Certe', il a souffert,
Tantale,
Quand l'eau refusa
D'arroser ses a-
mygdales...
Etre assoiffé d'eau,
C'est triste, mais faut
Bien dire

Que, l'être de vin,
C'est encore vingt
Fois pire...

Hélas ! il ne pleut
Jamais du gros bleu
Qui tache...
Qu'ell's donnent du vin,
J'irai traire enfin
Les vaches...
Que vienne le temps
Du vin coulant dans
La Seine !
Les gens, par milliers,
Courront y noyer
Leur peine...

Philistins

Poème de Jean Richepin.

Philistins, épiciers,
Alors* que vous caressiez
Vos femmes,

En songeant aux petits
Que vos grossiers appétits
Engendrent,

* *Variante G.B.* : Tandis.

Vous disiez* : « Ils seront,
Menton rasé, ventre rond,
Notaires »,

Mais pour bien vous punir,
Un jour vous voyez venir
Au monde**

Des enfants non voulus
Qui deviennent chevelus
Poètes.

(bis)

...

Variantes G.B. :
* pensiez.
** Sur terre.

Disque 5

Face 1

Le vieux Léon
La ronde des jurons
A l'ombre du cœur de ma mie
Le pornographe
Le père Noël et la petite fille

Face 2

La femme d'Hector
Bonhomme
Les funérailles d'antan
Le cocu
Comme une sœur

(1956-1960)

Le vieux Léon

Y' a tout à l'heur'
Quinze ans d' malheur
Mon vieux Léon
Que tu es parti
Au paradis
D' l'accordéon
Parti bon train
Voir si l' bastrin-
gue et la java
Avaient gardé
Droit de cité
Chez Jéhovah
Quinze ans bientôt
Qu' musique au dos
Tu t'en allais
Mener le bal
A l'amical'
Des feux follets
En cet asile
Par saint' Cécile
Pardonne-nous
De n'avoir pas
Su faire cas
De ton biniou.
C'est une erreur
Mais les joueurs

D'accordéon
Au grand jamais
On ne les met
Au Panthéon
Mon vieux tu as dû
T' contenter du
Champ de navets,
Sans grandes pom-
pe' et sans pompons
Et sans *ave*
Mais les copains
Suivaient l' sapin
Le cœur serré
En rigolant
Pour fair' semblant
De n' pas pleurer
Et dans nos cœurs
Pauvre joueur
D'accordéon
Il fait ma foi
Beaucoup moins froid
Qu'au Panthéon.

Depuis mon vieux
Qu'au fond des cieux
Tu' as fait ton trou
Il a coulé
De l'eau sous les
Ponts de chez nous.
Les bons enfants
D' la ru' de Van-
ve' à la Gaîté
L'un comme l'au-
tre au gré des flots
Fur'nt emportés
Mais aucun d'eux

N'a fait fi de
Son temps jadis
Tous sont restés
Du parti des
Myosotis
Tous ces pierrots
Ont le cœur gros
Mon vieux Léon
En entendant
Le moindre chant
D'accordéon.

Quel temps fait-il
Chez les gentils
De l'au-delà
Les musiciens
Ont-ils enfin
Trouvé le la
Et le p'tit bleu
Est-c' que ça n' le
Rend pas meilleur
D'être servi
Au sein des vi-
gne' du Seigneur
Si d' temps en temps
Un' dam' d'antan
S' laisse embrasser
Sûr'ment papa
Que tu r'grett' pas
D'être passé
Et si l' Bon Dieu
Aim' tant soit peu
L'accordéon
Au firmament
Tu t' plais sûr'ment
Mon vieux Léon.

La ronde des jurons

Voici la ron-
de des jurons
Qui chantaient clair, qui dansaient rond,
Quand les Gaulois
De bon aloi
Du franc-parler suivaient la loi,
Jurant par-là,
Jurant par-ci,
Jurant à langue raccourci',
Comme des grains de chapelet
Les joyeux jurons défilaient :

Refrain

Tous les morbleus, tous les ventrebleus,
Les sacrebleus et les cornegidouilles,
Ainsi, parbleu, que les jarnibleus
Et les palsambleus,
Tous les cristis, les ventres saint-gris,
Les par ma barbe et les noms d'une pipe,
Ainsi, pardi, que les sapristis
Et les sacristis,
Sans oublier les jarnicotons,
Les scrogneugneus et les bigre' et les bougre',
Les saperlott's, les cré nom de nom,
Les peste, et pouah, diantre, fichtre et foutre,
Tous les Bon Dieu,
Tous les vertudieux,
Tonnerr' de Brest et saperlipopette,
Ainsi, pardieu, que les jarnidieux
Et les pasquedieux.

Quelle pitié !
Les charretiers
Ont un langage châtié !

Les harengères
Et les mégères
Ne parlent plus à la légère !
Le vieux catéchisme poissard
N'a guèr' plus cours chez les hussards...
Ils ont vécu, *de profundis*,
Les joyeux lurons de jadis.

A l'ombre du cœur de ma mie

A l'ombre du cœur de ma mie *(bis)*
Un oiseau s'était endormi *(bis)*
Un jour qu'elle faisait semblant
D'être la Belle au bois dormant.

Et moi, me mettant à genoux, *(bis)*
Bonne fé's, sauvegardez-nous ! *(bis)*
Sur ce cœur j'ai voulu poser
Une manière de baiser.

Alors cet oiseau de malheur *(bis)*
Se mit à crier *Au voleur ! (bis)*
Au voleur ! et A l'assassin !
Comm' si j'en voulais à son sein.

Aux appels de cet étourneau, *(bis)*
Grand branle-bas dans Landerneau : *(bis)*
Tout le monde et son père accourt
Aussitôt lui porter secours.

Tant de rumeurs, de grondements, *(bis)*
On fait peur aux enchantements, *(bis)*
Et la belle désabusée
Ferma son cœur à mon baiser.

Et c'est depuis ce temps, ma sœur, *(bis)*
Que je suis devenu chasseur, *(bis)*
Que mon arbalète à la main
Je cours les bois et les chemins.

Le pornographe

Autrefois, quand j'étais marmot,
J'avais la phobi' des gros mots,
Et si j' pensais « merde » tout bas,
Je ne le disais pas...
Mais
Aujourd'hui que mon gagne-pain
C'est d' parler comme un turlupin,
Je n' pense plus « merde », pardi !
Mais je le dis.

Refrain

J' suis l' pornographe,
Du phonographe,
Le polisson
De la chanson.

Afin d'amuser la gal'rie
Je crache des gauloiseries,
Des pleines bouches de mots crus
Tout à fait incongrus...
Mais
En m' retrouvant seul sous mon toit,
Dans ma psyché j' me montre au doigt.
Et m' cri' : « Va t'faire, homme incorrec',
Voir par les Grecs. »

Tous les sam'dis j' vais à confess'
M'accuser d'avoir parlé d' fess's
Et j' promets ferme au marabout
De les mettre tabou...
Mais
Craignant, si je n'en parle plus,
D' finir à l'Armée du Salut,
Je r'mets bientôt sur le tapis
Les fesses impies.

Ma femme est, soit dit en passant,
D'un naturel concupiscent
Qui l'incite à se coucher nu'
Sous le premier venu...
Mais
M'est-il permis, soyons sincèr',
D'en parler au café-concert
Sans dire qu'elle a, suraigu
Le feu au cul ?

J'aurais sans doute du bonheur,
Et peut-être la Croix d'honneur,
A chanter avec décorum
L'amour qui mène à Rom'...

Mais
Mon ang' m'a dit : « Turlututu !
Chanter l'amour t'est défendu
S'il n'éclôt pas sur le destin
D'une putain. »

Et quand j'entonne, guilleret,
A un patron de cabaret
Une adorable bucolique,
Il est mélancolique...
Et
Me dit, la voix noyé' de pleurs :
« S'il vous plaît de chanter les fleurs,
Qu'ell's poussent au moins rue Blondel
Dans un bordel. »

Chaque soir avant le dîner,
A mon balcon mettant le nez,
Je contemple les bonnes gens
Dans le soleil couchant...
Mais
N' me d'mandez pas d' chanter ça, si
Vous redoutez d'entendre ici
Que j'aime à voir, de mon balcon,
Passer les cons.

Les bonnes âmes d'ici-bas
Comptent ferme qu'à mon trépas
Satan va venir embrocher
Ce mort mal embouché...
Mais,
Mais veuille le grand manitou,
Pour qui le mot n'est rien du tout,
Admettre en sa Jérusalem,
A l'heure blême,

Le pornographe
Du phonographe,
Le polisson
De la chanson.

Le père Noël et la petite fille

Avec sa hotte sur le dos,
Avec sa hotte sur le dos,
Il s'en venait d'Eldorado,
Il s'en venait d'Eldorado,
Il avait une barbe blanche,
Il avait nom « Papa Gâteau »,

Il a mis du pain sur ta planche,
Il a mis les mains sur tes hanches.

Il t'a prom'né' dans un landau,
Il t'a prom'né' dans un landau,
En route pour la vi' d'château,
En route pour la vi' d'château,
La belle vi' doré' sur tranches,
Il te l'offrit sur un plateau.

Il a mis du grain dans sa grange,
Il a mis les mains sur tes hanches.

Toi qui n'avais rien sur le dos,
Toi qui n'avais rien sur le dos,
Il t'a couverte de manteaux,
Il t'a couverte de manteaux,

Il t'a vêtu' comme un dimanche,
Tu n'auras pas froid de sitôt.

Il a mis l'hermine à ta manche,
Il a mis les mains sur tes hanches.

Tous les camé's, tous les émaux,
Tous les camé's, tous les émaux,
Il les fit pendre à tes rameaux,
Il les fit pendre à tes rameaux,
Il fit rouler en avalanches
Perle' et rubis dans tes sabots.

Il a mis de l'or à ta branche,
Il a mis les mains sur tes hanches.

Tire la bell', tir' le rideau,
Tire la bell', tir' le rideau,
Sur tes misères de tantôt,
Sur tes misères de tantôt.
Et qu'au-dehors il pleuve, il vente,
Le mauvais temps n'est plus ton lot,

Le joli temps des coudé's franches...
On a mis les mains sur tes hanches.

La femme d'Hector

En notre tour de Babel
Laquelle est la plus bell',
La plus aimable parmi
Les femm's de nos amis ?
Laquelle est notre vrai' nounou,
La p'tit' sœur des pauvres de nous,
Dans le guignon toujours présente.
Quelle est cette fé' bienfaisante ?

Refrain

C'est pas la femm' de Bertrand,
Pas la femm' de Gontran,
Pas la femm' de Pamphile,
C'est pas la femm' de Firmin,
Pas la femm' de Germain
Ni cell' de Benjamin,
C'est pas la femm' d'Honoré
Ni cell' de Désiré
Ni cell' de Théophile,
Encore moins la femme de Nestor,
Non, c'est la femm' d'Hector !

Comme nous dansons devant
Le buffet bien souvent,
On a toujours peu ou prou
Les bas criblés de trous...
Qui raccommode ces malheurs
De fils de toutes les couleurs,
Qui brode, divine cousette,
Des arcs-en-ciel à nos chaussettes ?

Quand on nous prend la main, sac-
Cré Bon Dieu, dans un sac,
Et qu'on nous envoi' planter
Des choux à la Santé,
Quelle est cell' qui, prenant modèl',
Sur les vertus des chiens fidèl's,
Reste à l'arrêt devant la porte
En attendant qu'on en ressorte?

Et quand l'un d'entre nous meurt,
Qu'on nous met en demeur'
De débarrasser l'hôtel
De ses restes mortels,
Quelle est cell' qui r'mu' tout Paris
Pour qu'on lui fasse, au plus bas prix,
Des funérailles gigantesques,
Pas nationales, non, mais presque?

Et quand vient le mois de mai,
Le joli temps d'aimer,
Que, sans écho, dans les cours,
Nous hurlons à l'amour,
Quelle est cell' qui nous plaint beaucoup,
Quelle est cell' qui nous saute au cou,
Qui nous dispense sa tendresse,
Tout's ses économi's d' caresses?

Ne jetons pas les morceaux
De nos cœurs aux pourceaux,
Perdons pas notre latin
Au profit des pantins,
Chantons pas la langue des dieux
Pour les balourds, les fess'-mathieux
Les paltoquets ni les bobèches,
Les foutriquets ni les pimbêches

Dernier refrain

Ni pour la femm' de Bertrand,
Pour la femm' de Gontran,
Pour la femm' de Pamphile,
Ni pour la femm' de Firmin,
Pour la femm' de Germain,
Pour cell' de Benjamin,
Ni pour la femm' d'Honoré,
La femm' de Désiré,
La femm' de Théophile,
Encore moins pour la femm' de Nestor,
Mais pour la femm' d'Hector !

Bonhomme

Malgré la bise qui mord,
La pauvre vieille de somme
Va ramasser du bois mort
Pour chauffer Bonhomme,
Bonhomme qui va mourir
De mort naturelle.

Mélancolique, elle va
A travers la forêt blême
Où jadis elle rêva
De celui qu'elle aime,
Qu'elle aime et qui va mourir
De mort naturelle.

Rien n'arrêtera le cours
De la vieille qui moissonne
Le bois mort de ses doigts gourds,
Ni rien ni personne,

Car Bonhomme va mourir
De mort naturelle.

Non, rien ne l'arrêtera,
Ni cette voix de malheur (e)
Qui dit : « Quand tu rentreras
Chez toi, tout à l'heure,
Bonhomm' sera déjà mort
De mort naturelle. »

Ni cette autre et sombre voix,
Montant du plus profond d'elle,
Lui rappeler que, parfois,
Il fut infidèle,
Car Bonhomme, il va mourir
De mort naturelle.

Les funérailles d'antan

Jadis, les parents des morts vous mettaient dans le bain,
De bonne grâce ils en f'saient profiter les copains :
« Y' a un mort à la maison, si le cœur vous en dit,
Venez l' pleurer avec nous sur le coup de midi... »
Mais les vivants aujourd'hui n' sont plus si généreux,
Quand ils possèdent un mort ils le gardent pour eux.
C'est la raison pour laquell', depuis quelques années,
Des tas d'enterrements vous passent sous le nez. *(bis)*

Refrain

Mais où sont les funéraill's d'antan ?
Les petits corbillards, corbillards, corbillards, corbillards

De nos grands-pères,
Qui suivaient la route en cahotant,
Les petits macchabées, macchabées, macchabées, macchabées
Ronds et prospères...
Quand les héritiers étaient contents,
Au fossoyeur, au croqu'-mort, au curé, aux chevaux
[même,
Ils payaient un verre.
Elles sont révolu's,
Elles ont fait leur temps,
Les belles pom, pom, pom, pom, pom, pompes funèbres,
On ne les r'verra plus,
Et c'est bien attristant,
Les belles pompes funèbres de nos vingt ans.

Maintenant, les corbillards à tombeau grand ouvert
Emportent les trépassés jusqu'au diable vauvert,
Les malheureux n'ont mêm' plus le plaisir enfantin
D' voir leurs héritiers marron marcher dans le crottin.
L'autre semain' des salauds, à cent quarante à l'heur',
Vers un cimetièr' minable emportaient un des leurs...
Quand, sur un arbre en bois dur, ils se sont aplatis
On s'aperçut qu' le mort avait fait des petits. *(bis)*

Plutôt qu' d'avoir des obsèqu's manquant de fioritur's,
J'aim'rais mieux, tout compte fait, m' passer de sépultur',
J'aim'rais mieux mourir dans l'eau, dans le feu, n'importe
[où,
Et même, à la grand' rigueur, ne pas mourir du tout.
O, que renaisse le temps des morts bouffis d'orgueil,
L'époque des m'as-tu-vu-dans-mon-joli-cercueil,
Où, quitte à tout dépenser jusqu'au dernier écu,
Les gens avaient à cœur d' mourir plus haut qu' leur cul,
Les gens avaient à cœur de mourir plus haut que leur cul.

Le cocu

Comme elle n'aime pas beaucoup la solitude,
Cependant que je pêche et que je m'ennoblis,
Ma femme sacrifie à sa vieille habitude
De faire, à tout venant, les honneurs de mon lit. *(bis)*

Eh ! oui, je suis cocu, j'ai du cerf sur la tête,
On fait force de trous dans ma lune de miel,
Ma bien-aimé' ne m'invite plus à la fête
Quand ell' va faire un tour jusqu'au septième ciel. *(bis)*

Au péril de mon cœur, la malheureuse écorne
Le pacte conjugal et me le déprécie,
Que je ne sache plus où donner de la corne
Semble bien être le cadet de ses soucis. *(bis)*

Les galants de tout poil viennent boire en mon verre,
Je suis la providence des écornifleurs,
On cueille dans mon dos la tendre primevère
Qui tenait le dessus de mon panier de fleurs. *(bis)*

En revenant fourbu de la pêche à la ligne,
Je les surprends tout nus dans leurs débordements.
Conseillez-leur le port de la feuille de vigne,
Ils s'y refuseront avec entêtement. *(bis)*

Souiller mon lit nuptial, est-c' que ça les empêche
De garder les dehors de la civilité ?
Qu'on me demande au moins si j'ai fait bonne pêche,
Qu'on daigne s'enquérir enfin de ma santé. *(bis)*

De grâce, un minimum d'attentions délicates
Pour ce pauvre mari qu'on couvre de safran !
Le cocu, d'ordinaire, on le choie, on le gâte,
On est en fin de compte un peu de ses parents. *(bis)*

A l'heure du repas, mes rivaux détestables
Ont encor' ce toupet de lorgner ma portion !
Ça leur ferait pas peur de s'asseoir à ma table.
Cocu, tant qu'on voudra, mais pas amphitryon. *(bis)*

Partagé sa moitié, est-c' que cela comporte
Que l'on partage aussi la chère et la boisson ?
Je suis presque obligé de les mettre à la porte,
Et bien content s'ils n'emportent pas mes poissons. *(bis)*

Bien content qu'en partant ces mufles ne s'égarent
Pas à mettre le comble à leur ignomini'
En sifflotant « Il est cocu, le chef de gare... »
Parc' que, le chef de gar', c'est mon meilleur ami. *(bis)*

Comme une sœur

Comme une sœur tête coupé', tête coupée,
Ell' ressemblait à sa poupée, à sa poupée.
Dans la rivière elle est venue
Tremper un peu son pied menu, son pied menu.

Par une ruse à ma façon, à ma façon,
Je fais semblant d'être un poisson, d'être un poisson.
Je me déguise en cachalot
Et je me couche au fond de l'eau, au fond de l'eau.

J'ai le bonheur grâce à ce biais, grâce à ce biais,
De lui croquer un bout de pied, un bout de pied.
Jamais requin n'a, j'en réponds,
Jamais rien goûté d'aussi bon, rien d'aussi bon.

Ell' m'a puni de ce culot, de ce culot,
En me tenant le bec dans l'eau, le bec dans l'eau.
Et j'ai dû, pour l'apitoyer,
Faire mine de me noyer, de me noyer.

Convaincu' de m'avoir occis, m'avoir occis,
La voilà qui se radoucit, se radoucit,
Et qui m'embrasse et qui me mord
Pour me ressusciter des morts, citer des morts.

Si c'est le sort qu'il faut subir, qu'il faut subir,
A l'heure du dernier soupir, dernier soupir,
Si, des noyés, tel est le lot,
Je retourne me fiche à l'eau, me fiche à l'eau.

Chez ses parents, le lendemain, le lendemain,
J'ai couru demander sa main, d'mander sa main,
Mais comme je n'avais rien dans
La mienne, on m'a crié : « Va-t-en ! », crié : « Va-t'en ! »

On l'a livrée aux appétits, aux appétits
D'une espèce de mercanti, de mercanti,
Un vrai maroufle, un gros sac d'or,
Plus vieux qu'Hérode et que Nestor, et que Nestor.

Et depuis leurs noces j'attends, noces j'attends,
Le cœur sur des charbons ardents, charbons ardents,
Que la Faucheuse vienne cou-
per l'herbe aux pieds de ce grigou, de ce grigou.

Quand ell' sera veuve éploré', veuve éploré',
Après l'avoir bien enterré, bien enterré,
J'ai l'espéranc' qu'elle viendra
Faire sa niche entre mes bras, entre mes bras.

Disque 6

Face 1

La traîtresse
Tonton Nestor
Le bistrot
Embrasse-les tous
La ballade des cimetières

Face 2

Pénélope
L'orage
Le mécréant
Le verger du roi Louis
Le temps passé
La fille à cent sous

(1960-1962)

La traîtresse

J'en appelle à la mort, je l'attends sans frayeur,
Je n' tiens plus à la vi', je cherche un fossoyeur
Qui' aurait un' tombe à vendre à n'importe quel prix :
J'ai surpris ma maîtresse au bras de son mari,
Ma maîtresse, la traîtresse !

J' croyais tenir l'amour au bout de mon harpon,
Mon p'tit drapeau flottait au cœur d' madam' Dupont,
Mais tout est consommé : hier soir, au coin d'un bois,
J'ai surpris ma maîtresse avec son mari, pouah !
Ma maîtresse, la traîtresse !

Trouverais-je les noms, trouverais-je les mots,
Pour noter d'infami' cett' enfant de chameau
Qui' a choisi son époux pour tromper son amant,
Qui' a conduit l'adultère à son point culminant ?
Ma maîtresse, la traîtresse !

Où donc avais-j' les yeux ? Quoi donc avais-j' dedans ?
Pour pas m'être aperçu depuis un certain temps
Que, quand ell' m'embrassait, ell' semblait moins goulu'
Et faisait des enfants qui n' me ressemblaient plus.
Ma maîtresse, la traîtresse !

Et pour bien m'enfoncer la corne dans le cœur,
Par un raffinement satanique, moqueur,

La perfide, à voix haute, a dit à mon endroit :
« Le plus cornard des deux n'est point celui qu'on croît. »
Ma maîtresse, la traîtresse !

J'ai surpris les Dupont, ce couple de marauds,
En train d' recommencer leur hymen à zéro,
J'ai surpris ma maîtresse équivoque, ambigu',
En train d'intervertir l'ordre de ses cocus.
Ma maîtresse, la traîtresse !

Tonton Nestor

Tonton Nestor,
Vous eûtes tort,
Je vous le dis tout net.
Vous avez mis
La zizani'
Aux noces de Jeannett'.
Je vous l'avou',
Tonton, vous vous
Comportâtes comme un
Mufle achevé,
Rustre fieffé,
Un homme du commun.

Quand la fiancé',
Les yeux baissés,
Des larmes pleins les cils,
S'apprêtait à
Dire « oui da ! »
A l'officier civil,
Qu'est-c' qui vous prit,

Vieux malappris,
D'aller, sans retenue,
Faire un pinçon
Cruel en son
Éminence charnue ?

Se retournant
Incontinent,
Ell' souffleta, flic-flac !
L' garçon d'honneur
Qui, par bonheur,
Avait un' tête à claqu',
Mais au lieu du
« Oui » attendu,
Ell' s'écria : « Maman ! »
Et l' mair' lui dit :
« Non, mon petit,
Ce n'est pas le moment. »

Quand la fiancé',
Les yeux baissés,
D'une voix solennell',
S'apprêtait à
Dire « oui da ! »
Par-devant l'Éternel,
Voilà mechef
Que, derechef,
Vous osâtes porter
Votre fichue
Patte crochue
Sur sa rotondité.

Se retournant
Incontinent,
Elle moucha le nez
D'un enfant d' chœur

Qui, par bonheur,
Était enchifrené,
Mais au lieu du
« Oui » attendu,
De sa pauvre voix lass',
Au tonsuré
Désemparé
Elle a dit « merde », hélas !

Quoiqu'elle usât,
Qu'elle abusât
Du droit d'être fessu',
En la pinçant,
Mauvais plaisant,
Vous nous avez déçus.
Aussi, ma foi,
La prochain' fois
Qu'on mariera Jeannett',
On s' pass'ra d' vous,
Tonton, je vous,
Je vous le dis tout net.

Le bistrot

Dans un coin pourri
Du pauvre Paris,
Sur un' place,
L'est un vieux bistrot
Tenu par un gros
Dégueulasse.

Si t'as le bec fin,
S'il te faut du vin
D' premièr' classe,
Va boire à Passy,
Le nectar d'ici
Te dépasse.

Mais si t'as l' gosier
Qu'une armur' d'acier
Matelasse,
Goûte à ce velours,
Ce petit bleu lourd
De menaces.

Tu trouveras là
La fin' fleur de la
Populace,
Tous les marmiteux,
Les calamiteux
De la place.

Qui viennent en rang,
Comme des harengs,
Voir en face
La bell' du bistrot,
La femme à ce gros
Dégueulasse.

Que je boive à fond
L'eau de tout's les fon-
tain's Wallace,
Si, dès aujourd'hui,
Tu n'es pas séduit
Par la grâce

De cett' joli' fé'
Qui, d'un bouge, a fait
Un palace.
Avec ses appas,
Du haut jusqu'en bas,
Bien en place.

Ces trésors exquis,
Qui les embrass', qui
Les enlace ?
Vraiment, c'en est trop !
Tout ça pour ce gros
Dégueulasse !

C'est injuste et fou,
Mais que voulez-vous
Qu'on y fasse ?
L'amour se fait vieux,
Il a plus les yeux
Bien en face.

Si tu fais ta cour,
Tâch' que tes discours
Ne l'agacent.
Sois poli, mon gars,
Pas de geste ou ga-
re à la casse !

Car sa main qui claqu',
Punit d'un flic-flac
Les audaces.
Certes, il n'est pas né
Qui mettra le nez
Dans sa tasse.

Pas né, le chanceux
Qui dégel'ra ce
Bloc de glace,
Qui fera dans l' dos
Les corne' à ce gros
Dégueulasse.

Dans un coin pourri
Du pauvre Paris,
Sur un' place,
Une espèc' de fé',
D'un vieux bouge, a fait
Un palace.

Embrasse-les tous

Tu n'es pas de cell's qui meur'nt où ell's s'attachent,
Tu frottes ta joue à toutes les moustaches,
Faut s' lever de bon matin pour voir un ingénu
Qui n' t'ait pas connu',
Entré' libre à n'importe qui dans ta ronde,
Cœur d'artichaut, tu donne' un' feuille à tout l' monde,
Jamais, de mémoire d'homm', moulin n'avait été
Autant fréquenté.

Refrain

De Pierre à Paul, en passant par Jule' et Félicien
Embrasse-les tous, *(bis)*
Dieu reconnaîtra le sien !

Passe-les tous par tes armes,
Passe-les tous par tes charmes,
Jusqu'à c' que l'un d'eux, les bras en croix,
Tourne de l'œil dans tes bras,
Des grands aux p'tits en allant jusqu'aux Lilliputiens,
Embrasse-les tous, *(bis)*
Dieu reconnaîtra le sien!

Jusqu'à ce qu'amour s'ensuive,
Qu'à son cœur une plai' vive,
Le plus touché d'entre nous
Demande grâce à genoux.

En attendant le baiser qui fera mouche,
Le baiser qu'on garde pour la bonne bouche,
En attendant de trouver, parmi tous ces galants,
Le vrai merle blanc,
En attendant qu' le petit bonheur ne t'apporte
Celui derrièr' qui tu condamn'ras ta porte
En marquant dessus «Fermé jusqu'à la fin des jours
Pour cause d'amour»...

Passe-les tous par tes armes,
Passe-les tous par tes charmes,
Jusqu'à c' que l'un d'eux, les bras en croix,
Tourne de l'œil dans tes bras,
Des grands aux p'tits en allant jusqu'aux Lilliputiens,
Embrasse-les tous, *(bis)*
Dieu reconnaîtra le sien!

De Pierre à Paul, en passant par Jule' et Félicien,
Embrasse-les tous, *(bis)*
Dieu reconnaîtra le sien!

Alors toutes tes fredaines,
Guilledous et prétentaines,

Tes écarts, tes grands écarts,
Te seront pardonnés, car
Les fill's quand ça dit « Je t'aime »,
C'est comme un second baptême,
Ça leur donne un cœur tout neuf,
Comme au sortir de son œuf.

La ballade des cimetières

J'ai des tombeaux en abondance,
Des sépultur's à discrétion,
Dans tout cim'tièr' d' quelque importance
J'ai ma petite concession.
De l'humble terre au mausolée,
Avec toujours quelqu'un dedans,
J'ai des p'tit's boss's plein les allées,
Et je suis triste cependant...

Car j' n'en ai pas, et ça m'agace,
Et ça défrise mon blason,
Au cimetièr' du Montparnasse,
A quatre pas de ma maison. *(bis)*

J'en possède au Père-Lachaise,
A Bagneux, à Thiais, à Pantin,
Et jusque, ne vous en déplaise,
Au fond du cimetièr' marin,
A la vil' comm' à la campagne,
Partout où l'on peut faire un trou,
J'ai mêm' des tombeaux en Espagne
Qu'on me jalouse peu ou prou...

Mais j' n'en ai pas la moindre trace,
Le plus humble petit soupçon,
Au cimetièr' du Montparnasse,
A quatre pas de ma maison. *(bis)*

Le jour des morts, je cours, je vole,
Je vais, infatigablement,
De nécropole en nécropole,
De pierr' tombale en monument.
On m'entrevoit sous un' couronne
D'immortelles à Champerret,
Un peu plus tard, c'est à Charonne
Qu'on m'aperçoit sous un cyprès...

Mais, seul, un fourbe aura l'audace
Dc dir' « J' l'ai vu à l'horizon
Du cimetièr' du Montparnasse,
A quatre pas de sa maison. » *(bis)*

Devant l' château de ma grand-tante
La marquise de Carabas,
Ma saint' famille languit d'attente :
Mourra-t-ell', mourra-t-elle pas ?
L'un veut son or, l'autre ses meubles,
Qui ses bijoux, qui ses bib'lots,
Qui ses forêts, qui ses immeubles,
Qui ses tapis, qui ses tableaux...

Moi, je n'implore qu'une grâce,
C'est qu'ell' pass' la morte-saison
Au cimetièr' du Montparnasse,
A quatre pas de ma maison. *(bis)*

Ainsi chantait, la mort dans l'âme,
Un jeun' homm' de bonne tenue,
En train de ranimer la flamme

Du soldat qui lui' était connu,
Or, il advint qu'le ciel eut marr' de
L'entendre parler d' ses caveaux.
Et Dieu fit signe à la camarde
De l'expédier ru' Froidevaux...

Mais les croqu'-morts, qui' étaient de Chartre',
Funeste erreur de livraison,
Menèr'nt sa dépouille à Montparnasse,
De l'autr' côté de sa maison. *(bis)*

Pénélope

Toi, l'épouse modèl', le grillon du foyer,
Toi, qui n'as point d'accroc dans ta rob' de mariée,
Toi, l'intraitable Pénélope,
En suivant ton petit bonhomme de bonheur,
Ne berces-tu jamais, en tout bien tout honneur,
De joli's pensées interlopes,
De joli's pensées interlopes ?

Derrière tes rideaux, dans ton juste milieu,
En attendant l' retour d'un Ulyss' de banlieu',
Penché' sur tes travaux de toile,
Les soirs de vague à l'âme et de mélancoli',
N'as-tu jamais en rêve, au ciel d'un autre lit,
Compté de nouvelles étoiles,
Compté de nouvelles étoiles ?

N'as-tu jamais encore appelé de tes vœux
L'amourette qui pass', qui vous prend aux cheveux,
Qui vous conte des bagatelles,

Qui met la marguerite au jardin potager,
La pomme défendue aux branches du verger,
Et le désordre à vos dentelles,
Et le désordre à vos dentelles ?

N'as-tu jamais souhaité de revoir en chemin
Cet ange, ce démon, qui, son arc à la main,
Décoche des flèches malignes,
Qui rend leur chair de femme aux plus froides statu's,
Les bascul' de leur socl', bouscule leur vertu,
Arrache leur feuille de vigne,
Arrache leur feuille de vigne ?

N'aie crainte que le ciel ne t'en tienne rigueur,
Il n'y' a vraiment pas là de quoi fouetter un cœur
Qui bat la campagne et galope !
C'est la faute commune et le péché véniel,
C'est la face caché' de la lune de miel
Et la rançon de Pénélope,
Et la rançon de Pénélope.

L'orage

Parlez-moi de la pluie et non pas du beau temps,
Le beau temps me dégoûte et m' fait grincer les dents,
Le bel azur me met en rage,
Car le plus grand amour qui m' fut donné sur terr'
Je l' dois au mauvais temps, je l' dois à Jupiter,
Il me tomba d'un ciel d'orage.

Par un soir de novembre, à cheval sur les toits,
Un vrai tonnerr' de Brest, avec des cris d' putois,

Allumait ses feux d'artifice.
Bondissant de sa couche en costume de nuit,
Ma voisine affolé' vint cogner à mon huis
En réclamant mes bons offices.

« Je suis seule et j'ai peur, ouvrez-moi, par pitié,
Mon époux vient d' partir faire son dur métier,
Pauvre malheureux mercenaire,
Contraint d' coucher dehors quand il fait mauvais temps,
Pour la bonne raison qu'il est représentant
D'un' maison de paratonnerres.

En bénissant le nom de Benjamin Franklin,
Je l'ai mise en lieu sûr entre mes bras câlins,
Et puis l'amour a fait le reste !
Toi qui sèmes des paratonnerre' à foison,
Que n'en as-tu planté sur ta propre maison ?
Erreur on ne peut plus funeste.

Quand Jupiter alla se faire entendre ailleurs,
La belle, ayant enfin conjuré sa frayeur
Et recouvré tout son courage,
Rentra dans ses foyers fair' sécher son mari
En m' donnant rendez-vous les jours d'intempéri',
Rendez-vous au prochain orage.

A partir de ce jour j' n'ai plus baissé les yeux,
J'ai consacré mon temps à contempler les cieux,
A regarder passer les nues,
A guetter les stratus, à lorgner les nimbus,
A faire les yeux doux aux moindres cumulus,
Mais elle n'est pas revenue.

Son bonhomm' de mari avait tant fait d'affair's,
Tant vendu ce soir-là de petits bouts de fer,
Qu'il était dev'nu millionnaire

Et l'avait emmené' vers des cieux toujours bleus,
Des pays imbécile' où jamais il ne pleut,
Où l'on ne sait rien du tonnerre.

Dieu fass' que ma complainte aille, tambour battant,
Lui parler de la plui', lui parler du gros temps
Auxquels on a t'nu tête ensemble,
Lui conter qu'un certain coup de foudre assassin
Dans le mill' de mon cœur a laissé le dessin
D'un' petit' fleur qui lui ressemble.

Le mécréant

Est-il en notre temps rien de plus odieux,
De plus désespérant, que de n' pas croire en Dieu ?

J' voudrais avoir la foi, la foi d' mon charbonnier,
Qui' est heureux comme un pape et con comme un panier.

Mon voisin du dessus, un certain Blais' Pascal,
M'a gentiment donné ce conseil amical :

« Mettez-vous à genoux, priez et implorez,
Faites semblant de croire, et bientôt vous croirez. »

J' me mis à débiter, les rotules à terr',
Tous les *Ave Maria*, tous les *Pater Noster*,

Dans les ru's, les cafés, les trains, les autobus,
Tous les *de profundis*, tous les *morpionibus*...

Sur ces entrefait's là, trouvant dans les orti's
Un' soutane à ma taill', je m'en suis travesti

Et, tonsuré de frais, ma guitare à la main,
Vers la foi salvatric' je me mis en chemin.

J' tombai sur un boisseau d' punais's de sacristi'.
Me prenant pour un autre, en chœur, elles m'ont dit :

« Mon Pèr', chantez-nous donc quelque refrain sacré,
Quelque sainte chanson dont vous avez l' secret ! »

Grattant avec ferveur les cordes sous mes doigts,
J'entonnai « le Gorille » avec « Putain de toi ».

Criant à l'imposteur, au traître, au papelard,
Ell's veul'nt me fair' subir le supplic' d'Abélard,

Je vais grossir les rangs des muets du sérail,
Les bell's ne viendront plus se pendre à mon poitrail,

Grâce à ma voix coupé' j'aurai la plac' de choix
Au milieu des Petits chanteurs à la croix d' bois.

Attiré' par le bruit, un' dam' de Charité,
Leur dit : « Que faites-vous ? Malheureus's arrêtez !

Y'a tant d'homm's aujourd'hui qui' ont un penchant
[pervers
A prendre obstinément Cupidon à l'envers,

Tant d'hommes dépourvus de leurs virils appas,
A ceux qui' en ont encor' ne les enlevons pas ! »

Ces arguments massu' firent un' grosse impression,
On me laissa partir avec des ovations.

Mais, su' l' chemin du ciel, je n' ferai plus un pas,
La foi viendra d'ell' même ou ell' ne viendra pas.

Je n'ai jamais tué, jamais violé non plus,
Y'a déjà quelque temps que je ne vole plus,

Si l'Éternel existe, en fin de compte, il voit
Qu' je m' conduis guèr' plus mal que si j'avais la foi.

Le verger du roi Louis

Poème de Théodore de Banville.

Sur ses larges bras étendus,
La forêt où s'éveille Flore,
A des chapelets de pendus
Que le matin caresse et dore.
Ce bois sombre, où le chêne arbore
Des grappes de fruits inouïs
Même chez le Turc et le More,
C'est le verger du roi Louis.

Tous ces pauvres gens morfondus,
Roulant des pensers qu'on ignore,
Dans des tourbillons éperdus
Voltigent, palpitants encore.
Le soleil levant les dévore.
Regardez-les, cieux éblouis,
Danser dans les feux de l'aurore.
C'est le verger du roi Louis.

Ces pendus, du diable entendus,
Appellent des pendus encore.

Tandis qu'aux cieux, d'azur tendus,
Où semble luire un météore,
La rosée en l'air s'évapore,
Un essaim d'oiseaux réjouis
Par-dessus leur tête picore.
C'est le verger du roi Louis.

Envoi

Prince, il est un bois que décore
Un tas de pendus enfouis
Dans le doux feuillage sonore.
C'est le verger du roi Louis !

Le temps passé

Dans les comptes d'apothicaire,
Vingt ans, c'est un' somm' de bonheur.
Mes vingt ans sont morts à la guerre,
De l'autr' côté du champ d'honneur.
Si j' connus un temps de chien, certes,
C'est bien le temps de mes vingt ans !
Cependant, je pleure sa perte,
Il est mort, c'était le bon temps !

Refrain

Il est toujours joli, le temps passé.
Un' fois qu'ils ont cassé leur pipe,
On pardonne à tous ceux qui nous ont offensés :
Les morts sont tous des braves types.

Dans ta petit' mémoire de lièvre,
Bécassine, il t'est souvenu
De notre amour du coin des lèvres,
Amour nul et non avenu,
Amour d'un sou qui n'allait, certes,
Guèr' plus loin que le bout d' son lit.
Cependant, nous pleurons sa perte,
Il est mort, il est embelli !

J'ai mis ma tenu' la plus sombre
Et mon masque d'enterrement,
Pour conduire au royaum' des ombres
Un paquet de vieux ossements.
La terr' n'a jamais produit, certes,
De canaille plus consommée.
Cependant, nous pleurons sa perte,
Elle est morte, elle est embaumée !

La fille à cent sous

Du temps que je vivais dans le troisièm' dessous,
Ivrogne, immonde, infâme,
Un plus soûlaud que moi, contre un' pièc' de cent sous,
M'avait vendu sa femme.

Quand je l'eus mise au lit, quand j' voulus l'étrenner,
Quand j' fis voler sa jupe,
Il m'apparut alors qu' j'avais été berné
Dans un marché de dupe.

« Remball' tes os, ma mie, et garde tes appas,
Tu' es bien trop maigrelette,

Je suis un bon vivant, ça n' me concerne pas
D'étreindre des squelettes.

Retourne à ton mari, qu'il garde les cent sous,
J' n'en fais pas une affaire. »
Mais ell' me répondit, le regard en dessous :
« C'est vous que je préfère...

J' suis pas bien gross', fit-ell', d'une voix qui se nou',
Mais ce n'est pas ma faute... »
Alors, moi, tout ému, j' la pris sur mes genoux
Pour lui compter les côtes.

« Toi qu' j'ai payé' cent sous, dis-moi quel est ton nom,
Ton p'tit nom de baptême ?
— Je m'appelle Ninette. — Eh bien, pauvre Ninon,
Console-toi, je t'aime. »

Et ce brave sac d'os dont j' n'avais pas voulu,
Même pour une thune,
M'est entré dans le cœur et n'en sortirait plus
Pour toute une fortune.

Du temps que je vivais dans le troisièm' dessous,
Ivrogne, immonde, infâme,
Un plus soûlaud que moi, contre un' pièc' de cent sous,
M'avait vendu sa femme.

Disque 7

Face 1

Les trompettes de la renommée
Jeanne
Dans l'eau de la claire fontaine
Je rejoindrai ma belle
La marguerite
Si le Bon Dieu l'avait voulu

Face 2

La guerre de 14-18
Les amours d'antan
Le temps ne fait rien à l'affaire
Marquise
L'assassinat
La complainte des filles de joie

(1961-1966)

Les trompettes de la renommée

Je vivais à l'écart de la place publique,
Serein, contemplatif, ténébreux, bucolique...
Refusant d'acquitter la rançon de la gloir',
Sur mon brin de laurier je dormais comme un loir.
Les gens de bon conseil ont su me fair' comprendre
Qu'à l'homme de la ru' j'avais des compt's à rendre
Et que, sous pein' de choir dans un oubli complet,
J' devais mettre au grand jour tous mes petits secrets.

Refrain

Trompettes
De la Renommée,
Vous êtes
Bien mal embouchées !

Manquant à la pudeur la plus élémentaire,
Dois-je, pour les besoins d' la caus' publicitaire,
Divulguer avec qui et dans quell' position
Je plonge dans le stupre et la fornication ?
Si je publi' des noms, combien de Pénélopes
Passeront illico pour de fieffé's salopes,
Combien de bons amis me r'gard'ront de travers,
Combien je recevrai de coups de revolver !

A toute exhibition ma nature est rétive,
Souffrant d'un' modesti' quasiment maladive,
Je ne fais voir mes organes procréateurs
A personne, excepté mes femm's et mes docteurs.
Dois-je, pour défrayer la chroniqu' des scandales,
Battre l'tambour avec mes parti's génitales,
Dois-je les arborer plus ostensiblement,
Comme un enfant de chœur porte un saint sacrement?

Une femme du monde, et qui souvent me laisse
Fair' mes quat' voluptés dans ses quartiers d' noblesse,
M'a sournois'ment passé, sur son divan de soi',
Des parasit's du plus bas étage qui soit...
Sous prétexte de bruit, sous couleur de réclame,
Ai-j' le droit de ternir l'honneur de cette dame
En criant sur les toits et sur l'air des lampions :
« Madame la marquis' m'a foutu des morpions ? »

Le ciel en soit loué, je vis en bonne entente
Avec le Pèr' Duval, la calotte chantante,
Lui, le catéchumène, et moi, l'énergumèn',
Il me laiss' dire *merd'*, je lui laiss' dire *amen*,
En accord avec lui, dois-je écrir' dans la presse
Qu'un soir je l'ai surpris aux genoux d' ma maîtresse,
Chantant la mélopé' d'une voix qui susurre,
Tandis qu'ell' lui cherchait des poux dans la tonsure?

Avec qui, ventrebleu! faut-il donc que je couche
Pour fair' parler un peu la déesse aux cent bouches?
Faut-il qu'un' femm' célèbre, une étoile, une star,
Vienn' prendre entre mes bras la plac' de ma guitar'?
Pour exciter le peuple et les folliculaires,
Qui' est-c' qui veut me prêter sa croupe populaire,
Qui' est-c' qui veut m' laisser faire, *in naturalibus*,
Un p'tit peu d'alpinism' sur son mont de Vénus?

Sonneraient-ell's plus fort, ces divines trompettes,
Si, comm' tout un chacun, j'étais un peu tapette,
Si je me déhanchais comme une demoiselle
Et prenais tout à coup des allur's de gazelle?
Mais je ne sache pas qu' ça profite à ces drôles
De jouer le jeu d' l'amour en inversant les rôles,
Qu' ça confère à leur gloire un' onc' de plus-valu',
Le crim' pédérastique aujourd'hui ne pai' plus.

Après c' tour d'horizon des mille et un' recettes
Qui vous val'nt à coup sûr les honneurs des gazettes,
J'aime mieux m'en tenir à ma premièr' façon
Et me gratter le ventre en chantant des chansons.
Si le public en veut, je les sors dare-dare,
S'il n'en veut pas je les remets dans ma guitare.
Refusant d'acquitter la rançon de la gloir',
Sur mon brin de laurier, je m'endors comme un loir.

Jeanne

Chez Jeanne, la Jeanne
Son auberge est ouverte aux gens sans feu ni lieu,
On pourrait l'appeler l'auberge du Bon Dieu
S'il n'en existait déjà une,
La dernière où l'on peut entrer
Sans frapper, sans montrer patte blanche...

Chez Jeanne, la Jeanne
On est n'importe qui, on vient n'importe quand,
Et, comme par miracle, par enchantement,
On fait parti' de la famille,
Dans son cœur, en s' poussant un peu,
Reste encore une petite place...

La Jeanne, la Jeanne,
Elle est pauvre et sa table est souvent mal servie,
Mais le peu qu'on y trouve assouvit pour la vie,
Par la façon qu'elle le donne,
Son pain ressemble à du gâteau
Et son eau à du vin comm' deux gouttes d'eau...

La Jeanne, la Jeanne,
On la pai' quand on peut des prix mirobolants :
Un baiser sur son front ou sur ses cheveux blancs,
Un semblant d'accord de guitare,
L'adresse d'un chat échaudé
Ou d'un chien tout crotté comm' pourboire...

La Jeanne, la Jeanne,
Dans ses rose' et ses choux n'a pas trouvé d'enfant,
Qu'on aime et qu'on défend contre les quatre vents,
Et qu'on accroche à son corsage,
Et qu'on arrose avec son lait...
D'autres qu'elle en seraient tout' chagrines...

Mais Jeanne, la Jeanne,
Ne s'en souci' pas plus que de colin-tampon,
Être mère de trois poulpiquets, à quoi bon !
Quand elle est mère universelle,
Quand tous les enfants de la terre,
De la mer et du ciel sont à elle...

Dans l'eau de la claire fontaine

Dans l'eau de la claire fontaine
Elle se baignait toute nue.
Une saute de vent soudaine
Jeta ses habits dans les nues.

En détresse, elle me fit signe,
Pour la vêtir, d'aller chercher
Des monceaux de feuilles de vigne,
Fleurs de lis ou fleurs d'oranger.

Avec des pétales de rose,
Un bout de corsage lui fis.
La belle n'était pas bien grosse :
Une seule rose a suffi.

Avec le pampre de la vigne,
Un bout de cotillon lui fis.
Mais la belle était si petite
Qu'une seule feuille a suffi.

Ell' me tendit ses bras, ses lèvres,
Comme pour me remercier...
Je les pris avec tant de fièvre
Qu'ell' fut toute déshabillée.

Le jeu dut plaire à l'ingénue,
Car à la fontaine, souvent,
Ell' s'alla baigner toute nue
En priant Dieu qu'il fît du vent,
Qu'il fît du vent...

Je rejoindrai ma belle

— A l'heure du berger,
Au mépris du danger,
J' prendrai la passerelle
Pour rejoindre ma belle,
A l'heure du berger,
Au mépris du danger,
Et nul n'y pourra rien changer.

— Tombant du haut des nues,
La bourrasque est venue
Souffler dessus la passerelle,
Tombant du haut des nues,
La bourrasque est venue,
Les passerelle', il y en a plus.

— Si les vents ont cru bon
De me couper les ponts,
J'prendrai la balancelle
Pour rejoindre ma belle,
Si les vents ont cru bon
De me couper les ponts,
J'embarquerai dans l'entrepont.

— Tombant du haut des nu's,
Les marins sont venus
Lever l'ancre à la balancelle,
Tombant du haut des nu's,
Les marins sont venus,
Des balancelle', il y' en a plus.

— Si les forbans des eaux
Ont volé mes vaisseaux,
Y me pouss'ra des ailes

Pour rejoindre ma belle,
Si les forbans des eaux
Ont volé mes vaisseaux,
J' prendrai le chemin des oiseaux.

— Les chasseurs à l'affût
Te tireront dessus,
Adieu la plume ! adieu les ailes !
Les chasseurs à l'affût
Te tireront dessus,
De tes amours, y' en aura plus.

— Si c'est mon triste lot
De faire un trou dans l'eau,
Racontez à la belle
Que je suis mort fidèle,
Et qu'ell' daigne à son tour
Attendre quelques jours
Pour filer de nouvell's amours.

La marguerite

La petite
Marguerite
Est tombé',
Singulière,
Du bréviaire
De l'abbé.

Trois pétales
De scandale
Sur l'autcl,
Indiscrète
Pâquerette,
D'où vient-ell' ? *(bis)*

Dans l'enceinte
Sacro-sainte,
Quel émoi !
Quelle affaire,
Oui, ma chère,
Croyez-moi !

La frivole
Fleur qui vole,
Arrive en
Contrebande
Des plat's-bandes
Du couvent *(bis)*

Notre Père,
Qui, j'espère,
Êtes aux cieux,
N'ayez cure
Des murmures
Malicieux.

La légère
Fleur, peuchère !
Ne vient pas
De nonnettes,
De cornettes
En sabbat. *(bis)*

Sachez, diantre !
Qu'un jour, entre
Deux *ave*,
Sur la pierre
D'un calvaire
Il l'a trouvé',

Et l'a mise, |
Chose admise |
Par le ciel, |
Sans ambages, | *(bis)*
Dans les pages |
Du missel. |

Que ces messes
Basses cessent,
Je vous prie.
Non, le prêtre
N'est pas traître
A Marie.

Que personne |
Ne soupçonne, |
Plus jamais, |
La petite | *(bis)*
Marguerite, |
Ah ! ça, mais... |

Si le Bon Dieu l'avait voulu

Poème de Paul Fort.*

Si le Bon Dieu l'avait voulu — lanturlette, lanturlu — j'aurais connu la Cléopâtre, et je ne t'aurais pas connue. J'aurais connu la Cléopâtre, et je ne t'aurais pas connue. Sans ton amour que j'idolâtre, las ! que fussé-je devenu ?

Si le Bon Dieu l'avait voulu, j'aurais connu la Messaline, Agnès, Odette et Mélusine, et je ne t'aurais pas connue. J'aurais connu la Pompadour, Noémi, Sarah, Rebecca, la Fille du Royal Tambour, et la Mogador et Clara.

Mais le Bon Dieu n'a pas voulu que je connaisse leurs amours, je t'ai connue, tu m'as connu — gloire à Dieu au plus haut des nues ! — Las ! que fussé-je devenu sans toi la nuit, sans toi le jour ? Je t'ai connue, tu m'as connu — gloire à Dieu au plus haut des nues !

La guerre de 14-18

Depuis que l'homme écrit l'Histoire,
Depuis qu'il bataille à cœur joie
Entre mille et une guerr's notoires,
Si j'étais t'nu de faire un choix,
A l'encontre du vieil Homère,
Je déclarerais tout de suit' :

* *Version G.B.*

« Moi, mon colon, cell' que j' préfère,
C'est la guerr' de quatorz'-dix-huit ! » } *(bis)*

Est-ce à dire que je méprise
Les nobles guerres de jadis,
Que je m' souci' comm' d'un' cerise
De celle de soixante-dix ?
Au contrair', je la révère
Et lui donne un *satisfecit*,
Mais, mon colon, cell' que j' préfère,
C'est la guerr' de quatorz'-dix-huit ! } *(bis)*

Je sais que les guerriers de Sparte
Plantaient pas leurs épé's dans l'eau,
Que les grognards de Bonaparte
Tiraient pas leur poudre aux moineaux...
Leurs faits d'armes sont légendaires,
Au garde-à-vous j' les félicit',
Moi, mon colon, cell' que j' préfère,
C'est la guerr' de quatorz'-dix-huit ! } *(bis)*

Bien sûr, celle de l'an quarante
Ne m'a pas tout à fait déçu,
Elle fut longue et massacrante
Et je ne crache pas dessus,
Mais, à mon sens, ell' ne vaut guère,
Guèr' plus qu'un premier accessit,
Moi, mon colon, cell' que j' préfère,
C'est la guerr' de quatorz'-dix-huit ! } *(bis)*

Mon but n'est pas de chercher noise
Aux guérillas, non, fichtre ! non,
Guerres saintes, guerres sournoises
Qui n'osent pas dire leur nom,
Chacune a quelque chos' pour plaire,
Chacune a son petit mérit',

Mais, mon colon, cell' que j' préfère,
C'est la guerr' de quatorz'-dix-huit ! } *(bis)*

Du fond de son sac à malices,
Mars va sans doute, à l'occasion,
En sortir une — un vrai délice ! —
Qui me fera grosse impression...
En attendant, je persévère
A dir' que ma guerr' favorit',
Cell', mon colon, que j' voudrais faire,
C'est la guerr' de quatorz'-dix-huit ! } *(bis)*

Les amours d'antan

Moi, mes amours d'antan c'était de la grisette :
Margot, la blanche caille, et Fanchon, la cousette...
Pas la moindre noblesse, excusez-moi du peu.
C'étaient, me direz-vous, des grâces roturières,
Des nymphes de ruisseau, des Vénus de barrière...
Mon prince, on a les dam's du temps jadis qu'on peut...

Car le cœur à vingt ans se pose où l'œil se pose,
Le premier cotillon venu vous en impose,
La plus humble bergère est un morceau de roi.
Ça manquait de marquise, on connut la soubrette,
Faute de fleur de lis on eut la pâquerette,
Au printemps Cupidon fait flèche de tout bois...

On rencontrait la belle aux Puces, le dimanche :
« Je te plais, tu me plais... » et c'était dans la manche,
Et les grands sentiments n'étaient pas de rigueur.

« Je te plais, tu me plais... Viens donc, beau militaire... »
Dans un train de banlieue on partait pour Cythère,
On n'était pas tenu mêm' d'apporter son cœur...

Mimi, de prime abord, payait guère de mine,
Chez son fourreur sans doute on ignorait l'hermine,
Son habit sortait point de l'atelier d'un dieu...
Mais quand, par-dessus le moulin de la Galette,
Elle jetait pour vous sa parure simplette,
C'est Psyché tout entièr' qui vous sautait aux yeux.

Au second rendez-vous y' avait parfois personne,
Elle avait fait faux bond, la petite amazone,
Mais l'on ne courait pas se pendre pour autant...
La marguerite commencée avec Suzette,
On finissait de l'effeuiller avec Lisette
Et l'amour y trouvait quand même son content.

C'étaient, me direz-vous, des grâces roturières,
Des nymphes de ruisseau, des Vénus de barrière,
Mais c'étaient des amours, excusez-moi du peu,
Des Manon, des Mimi, des Suzon, des Musette,
Margot, la blanche caille, et Fanchon, la cousette,
Mon prince, on a les dam's du temps jadis qu'on peut...

Le temps ne fait rien à l'affaire

Quand ils sont tout neufs,
Qu'ils sortent de l'œuf,
Du cocon,
Tous les jeun's blancs-becs
Prennent les vieux mecs
Pour des cons.
Quand ils sont d' venus
Des têtes chenu's,
Des grisons,
Tous les vieux fourneaux
Prennent les jeunots
Pour des cons.
Moi, qui balance entre deux âges,
J' leur adresse à tous un message :

Refrain

Le temps ne fait rien à l'affaire,
Quand on est con, on est con.
Qu'on ait vingt ans, qu'on soit grand-père,
Quand on est con, on est con.
Entre vous, plus de controverses,
Cons caducs ou cons débutants,
Petits cons d' la dernière averse, } *(bis)*
Vieux cons des neiges d'antan. }

Vous, les cons naissants,
Les cons innocents,
Les jeun's cons
Qui, n' le niez pas,
Prenez les papas
Pour des cons,
Vous, les cons âgés,

Les cons usagés,
Les vieux cons
Qui, confessez-le,
Prenez les p'tits bleus
Pour des cons,
Méditez l'impartial message
D'un qui balance entre deux âges :

Marquise

Stances de Corneille.
Conclusion de Tristan Bernard.

Marquise, si mon visage
A quelques traits un peu vieux,
Souvenez-vous qu'à mon âge
Vous ne vaudrez guère mieux. *(bis)*

Le temps aux plus belles choses
Se plaîst à faire un affront :
Il* saura faner vos roses
Comme il a ridé mon front. *(bis)*

Le mesme cours des planètes
Règle nos jours et nos nuits :
On m'a vu ce que vous estes ;
Vous serez ce que je suis. *(bis)*

...

* *Variante G.B.* : Et.

Peut-être que je serai vieille,
Répond Marquise, cependant
J'ai vingt-six ans, mon vieux Corneille,
Et je t'emmerde en attendant. } *(bis)*

L'assassinat

C'est pas seulement à Paris
Que le crime fleurit,
Nous, au village, aussi, l'on a
De beaux assassinats. } *(bis)*

Il avait la tête chenu'
Et le cœur ingénu,
Il eut un retour de printemps
Pour une de vingt ans. } *(bis)*

Mais la chair fraîch', la tendre chair,
Mon vieux, ça coûte cher.
Au bout de cinq à six baisers,
Son or fut épuisé. } *(bis)*

Quand sa menotte elle a tendu',
Triste, il a répondu
Qu'il était pauvre comme Job.
Elle a remis sa rob'. } *(bis)*

Elle alla quérir son coquin
Qui' avait l'appât du gain.
Sont revenus chez le grigou
Faire un bien mauvais coup. } *(bis)*

Et pendant qu'il le lui tenait,
Elle l'assassinait.
On dit que, quand il expira,
La langue ell' lui montra. } *(bis)*

Mirent tout sens dessus dessous,
Trouvèrent pas un sou,
Mais des lettres de créanciers,
Mais des saisi's d'huissiers. } *(bis)*

Alors, prise d'un vrai remords,
Elle eut chagrin du mort
Et, sur lui, tombant à genoux,
Ell' dit : « Pardonne-nous ! » } *(bis)*

Quand les gendarm's sont arrivés,
En pleurs ils l'ont trouvé'.
C'est une larme au fond des yeux
Qui lui valut les cieux. } *(bis)*

Et, le matin qu'on la pendit,
Ell' fut en paradis.
Certains dévots depuis ce temps
Sont un peu mécontents. } *(bis)*

C'est pas seulement à Paris
Que le crime fleurit,
Nous, au village, aussi, l'on a
De beaux assassinats. } *(bis)*

La complainte des filles de joie

Bien que ces vaches de bourgeois *(bis)*
Les appell'nt des filles de joi' *(bis)*
C'est pas tous les jours qu'ell's rigolent,
Parole, parole,
C'est pas tous les jours qu'ell's rigolent.

Car, même avec des pieds de grue, *(bis)*
Fair' les cent pas le long des rues *(bis)*
C'est fatiguant pour les guibolles,
Parole, parole,
C'est fatiguant pour les guibolles.

Non seulement ell's ont des cors, *(bis)*
Des œils-de-perdrix, mais encor *(bis)*
C'est fou ce qu'ell's usent de grolles,
Parole, parole,
C'est fou ce qu'ell's usent de grolles.

Y' a des clients, y' a des salauds *(bis)*
Qui se trempent jamais dans l'eau. *(bis)*
Faut pourtant qu'elles les cajolent,
Parole, parole,
Faut pourtant qu'elles les cajolent.

Qu'ell's leur fassent la courte échell' *(bis)*
Pour monter au septième ciel. *(bis)*
Les sous, croyez pas qu'ell's les volent,
Parole, parole,
Les sous, croyez pas qu'ell's les volent.

Ell's sont méprisé's du public, *(bis)*
Ell's sont bousculé's par les flics, *(bis)*
Et menacé's de la vérole,

Parole, parole,
Et menacé's de la vérole.

Bien qu' tout' la vie ell's fass'nt l'amour, *(bis)*
Qu'ell's se marient vingt fois par jour, *(bis)*
La noce est jamais pour leur fiole,
Parole, parole,
La noce est jamais pour leur fiole.

Fils de pécore et de minus, *(bis)*
Ris pas de la pauvre Vénus, *(bis)*
La pauvre vieille casserole,
Parole, parole,
La pauvre vieille casserole.

Il s'en fallait de peu, mon cher, *(bis)*
Que cett' putain ne fût ta mère, *(bis)*
Cette putain dont tu rigoles,
Parole, parole,
Cette putain dont tu rigoles.

Disque 8

Face 1

Les copains d'abord
Les quat'z'arts
Le petit joueur de flûteau
La tondue
Le vingt-deux septembre

Face 2

Les deux oncles
Vénus callipyge
Le mouton de Panurge
La route aux quatre chansons
Saturne
Le grand Pan

(1965)

Les copains d'abord

Non, ce n'était pas le radeau
De la *Méduse*, ce bateau,
Qu'on se le dis' au fond des ports,
Dis' au fond des ports,
Il naviguait en pèr' peinard,
Sur la grand-mare des canards,
Et s'app'lait *les Copains d'abord,*
Les Copains d'abord.

Ses « fluctuat nec mergitur »
C'était pas d' la littératur',
N'en déplaise aux jeteurs de sort,
Aux jeteurs de sort,
Son capitaine et ses mat'lots
N'étaient pas des enfants d' salauds,
Mais des amis franco de port,
Des copains d'abord.

C'étaient pas des amis de lux',
Des petits Castor et Pollux,
Des gens de Sodome et Gomorrh',
Sodome et Gomorrh',
C'étaient pas des amis choisis
Par Montaigne et La Boéti',
Sur le ventre ils se tapaient fort,
Les copains d'abord.

C'étaient pas des anges non plus,
L'Évangile, ils l'avaient pas lu,
Mais ils s'aimaient tout's voil's dehors,
Toutes voil's dehors,
Jean, Pierre, Paul et compagnie,
C'était leur seule litanie,
Leur *Credo* leur *Confiteor*,
Aux copains d'abord.

Au moindre coup de Trafalgar,
C'est l'amitié qui prenait l' quart,
C'est ell' qui leur montrait le nord,
Leur montrait le nord.
Et quand ils étaient en détress',
Qu' leurs bras lançaient des S.O.S.,
On aurait dit des sémaphores,
Les copains d'abord.

Au rendez-vous des bons copains
Y' avait pas souvent de lapins,
Quand l'un d'entre eux manquait à bord,
C'est qu'il était mort.
Oui, mais jamais, au grand jamais,
Son trou dans l'eau n'se refermait,
Cent ans après, coquin de sort !
Il manquait encor.

Des bateaux, j'en ai pris beaucoup,
Mais le seul qui' ait tenu le coup,
Qui n'ait jamais viré de bord,
Mais viré de bord,
Naviguait en père peinard
Sur la grand-mare des canards
Et s'app'lait *Les Copains d'abord*,
Les Copains d'abord.
(bis)

Les quat'z' arts

Les copains affligés, les copines en pleurs,
La boîte à dominos enfoui' sous les fleurs,
Tout le monde équipé de sa tenu' de deuil,
La farce était bien bonne et valait le coup d'œil.

Les quat'z' arts avaient fait les choses comme il faut :
L'enterrement paraissait officiel. Bravo !

Le mort ne chantait pas : « Ah ! c' qu'on s'emmerde ici ! »
Il prenait son trépas à cœur, cette fois-ci,
Et les bonshomm's chargés de la levé' du corps
Ne chantaient pas non plus « Saint-Eloi bande encor ! »

Les quat'z' arts avaient fait les choses comme il faut :
Le macchabé' semblait tout à fait mort. Bravo !

Ce n'étaient pas du tout des filles en tutu
Avec des fesse' à claque' et des chapeaux pointus,
Les commères choisi's pour les cordons du poêle,
Et nul ne leur criait : « A poil ! A poil ! A poil ! »

Les quat'z' arts avaient fait les choses comme il faut :
Les pleureuses sanglotaient pour de bon. Bravo !

Le curé n'avait pas un goupillon factice,
Un de ces goupillons en forme de phallus,
Et quand il y alla de ses *de profondis*,
L'enfant de chœur répliqua pas *morpionibus*.

Les quat'z' arts avaient fait les choses comme il faut :
Le curé venait pas de Camaret. Bravo !

On descendit la bière et je fus bien déçu,
La blague maintenant frisait le mauvais goût,
Car le mort se laissa jeter la terr' dessus
Sans lever le couvercle en s'écriant « Coucou ! »

Les quat'z' arts avaient fait les choses comme il faut :
Le cercueil n'était pas à double fond. Bravo !

Quand tout fut consommé, je leur ai dit : « Messieurs,
Allons faire à présent la tourné' des boxons ! »
Mais ils m'ont regardé avec de pauvres yeux,
Puis ils m'ont embrassé d'une étrange façon.

Les quat'z' arts avaient fait les choses comme il faut :
Leur compassion semblait venir du cœur. Bravo !

Quand je suis ressorti de ce champ de navets,
L'ombre de l'*ici-gît* pas à pas me suivait,
Une petite croix de trois fois rien du tout
Faisant, à elle seul', de l'ombre un peu partout.

Les quat'z' arts avaient fait les choses comme il faut :
Les revenants s'en mêlaient à leur tour. Bravo !

J'ai compris ma méprise un petit peu plus tard,
Quand, allumant ma pipe avec le faire-part,
J' m'aperçus que mon nom, comm' celui d'un bourgeois,
Occupait sur la liste une place de choix.

Les quat'z' arts avaient fait les choses comme il faut :
J'étais le plus proch' parent du défunt. Bravo !

Adieu ! les faux tibias, les crânes de carton...
Plus de marche funèbre au son des mirlitons !
Au grand bal des quat'z' arts nous n'irons plus danser,
Les vrais enterrements viennent de commencer.

Nous n'irons plus danser au grand bal des
[quat'z' arts,
Viens, pépère, on va se ranger des corbillards. } *(bis)*

Le petit joueur de flûteau

Le petit joueur de flûteau
Menait la musique au château.
Pour la grâce de ses chansons
Le roi lui offrit un blason.
« Je ne veux pas être noble,
Répondit le croque-notes,
Avec un blason à la clé,
Mon "la" se mettrait à gonfler,
On dirait, par tout le pays,
"Le joueur de flûte a trahi",

« Et mon pauvre petit clocher
Me semblerait trop bas perché,
Je ne plierais plus les genoux
Devant le Bon Dieu de chez nous,
Il faudrait à ma grande âme
Tous les saints de Notre-Dame,
Avec un évêque à la clé,
Mon "la" se mettrait à gonfler,
On dirait, par tout le pays,
"Le joueur de flûte a trahi",

« Et la chambre où j'ai vu le jour
Me serait un triste séjour,
Je quitterais mon lit mesquin
Pour une couche à baldaquin,

Je changerais ma chaumière
Pour une gentilhommière,
Avec un manoir à la clé,
Mon "la" se mettrait à gonfler,
On dirait, par tout le pays,
"Le joueur de flûte a trahi",

« Je serais honteux de mon sang,
Des aïeux de qui je descends,
On me verrait bouder dessus
La branche dont je suis issu,
Je voudrais un magnifique
Arbre généalogique,
Avec du sang bleu à la clé,
Mon "la" se mettrait à gonfler,
On dirait, par tout le pays,
"Le joueur de flûte a trahi",

« Je ne voudrais plus épouser
Ma promise, ma fiancée,
Je ne donnerais pas mon nom
A une quelconque Ninon,
Il me faudrait pour compagne
La fille d'un grand d'Espagne,
Avec un' princesse à la clé,
Mon "la" se mettrait à gonfler,
On dirait, par tout le pays,
"Le joueur de flûte a trahi". »

Le petit joueur de flûteau
Fit la révérence au château.
Sans armoiri's, sans parchemin,
Sans gloire, il se mit en chemin
Vers son clocher, sa chaumine,
Ses parents et sa promise...
Nul ne dise, dans le pays,

« Le joueur de flûte a trahi »,
Et Dieu reconnaisse pour sien
Le brave petit musicien !

La tondue

La belle qui couchait avec le roi de Prusse,
Avec le roi de Prusse,
A qui l'on a tondu le crâne rasibus,
Le crâne rasibus,

Son penchant prononcé pour les « ich liebe dich »,
Pour les « ich liebe dich »,
Lui valut de porter quelques cheveux postich's,
Quelques cheveux postich's.

Les braves sans-culott's et les bonnets phrygiens,
Et les bonnets phrygiens,
Ont livré sa crinière à un tondeur de chiens,
A un tondeur de chiens.

J'aurais dû prendre un peu parti pour sa toison,
Parti pour sa toison,
J'aurais dû dire un mot pour sauver son chignon,
Pour sauver son chignon.

Mais je n'ai pas bougé du fond de ma torpeur,
Du fond de ma torpeur.
Les coupeurs de cheveux en quatre m'ont fait peur,
En quatre m'ont fait peur.

Quand, pire qu'une brosse, elle eut été tondu',
Elle eut été tondu',

J'ai dit : « C'est malheureux, ces accroch'-cœur perdus,
Ces accroch'-cœur perdus ».

Et, ramassant l'un d'eux qui traînait dans l'ornière,
Qui traînait dans l'ornière,
Je l'ai, comme une fleur, mis à ma boutonnière,
Mis à ma boutonnière.

En me voyant partir arborant mon toupet,
Arborant mon toupet,
Tous ces coupeurs de natt's m'ont pris pour un suspect,
M'ont pris pour un suspect.

Comme de la patrie je ne mérite guère,
Je ne mérite guère,
J'ai pas la croix d'honneur, j'ai pas la croix de guerre,
J'ai pas la croix de guerre,

Et je n'en souffre pas avec trop de rigueur,
Avec trop de rigueur.
J'ai ma rosette à moi : c'est un accroche-cœur,
C'est un accroche-cœur.

Le vingt-deux septembre

Un vingt-e-deux septembre au diable vous partîtes,
Et, depuis, chaque année, à la date susdite,
Je mouillais mon mouchoir en souvenir de vous...
Or, nous y revoilà, mais je reste de pierre,
Plus une seule larme à me mettre aux paupières :
Le vingt-e-deux septembre, aujourd'hui, je m'en fous.

On ne reverra plus, au temps des feuilles mortes,
Cette âme en peine qui me ressemble et qui porte
Le deuil de chaque feuille en souvenir de vous...
Que le brave Prévert et ses escargots veuillent
Bien se passer de moi pour enterrer les feuilles :
Le vingt-e-deux septembre, aujourd'hui, je m'en fous.

Jadis, ouvrant mes bras comme une paire d'ailes,
Je montais jusqu'au ciel pour suivre l'hirondelle
Et me rompais les os en souvenir de vous...
Le complexe d'Icare à présent m'abandonne,
L'hirondelle en partant ne fera plus l'automne :
Le vingt-e-deux septembre, aujourd'hui, je m'en fous.

Pieusement noué d'un bout de vos dentelles,
J'avais, sur ma fenêtre, un bouquet d'immortelles
Que j'arrosais de pleurs en souvenir de vous...
Je m'en vais les offrir au premier mort qui passe,
Les regrets éternels à présent me dépassent :
Le vingt-e-deux septembre, aujourd'hui, je m'en fous.

Désormais, le petit bout de cœur qui me reste
Ne traversera plus l'équinoxe funeste
En battant la breloque en souvenir de vous...
Il a craché sa flamme et ses cendres s'éteignent,
A peine y pourrait-on rôtir quatre châtaignes :
Le vingt-e-deux septembre, aujourd'hui, je m'en fous.

Et c'est triste de n'être plus triste sans vous.

Les deux oncles

C'était l'oncle Martin, c'était l'oncle Gaston,
L'un aimait les Tommi's, l'autre aimait les Teutons.
Chacun, pour ses amis, tous les deux ils sont morts.
Moi, qui n'aimais personne, eh bien ! je vis encor.

Maintenant, chers tontons, que les temps ont coulé,
Que vos veuves de guerre ont enfin convolé,
Que l'on a requinqué, dans le ciel de Verdun,
Les étoiles terni's du maréchal Pétain,

Maintenant que vos controverses se sont tu's,
Qu'on s'est bien partagé les cordes des pendus,
Maintenant que John Bull nous boude, maintenant,
Que c'en est fini des querelles d'Allemand,

Que vos fill's et vos fils vont, la main dans la main,
Faire l'amour ensemble et l'Europ' de demain,
Qu'ils se souci'nt de vos batailles presque autant
Que l'on se souciait des guerres de Cent Ans,

On peut vous l'avouer, maintenant, chers tontons,
Vous l'ami des Tommi's, vous l'ami des Teutons,
Que, de vos vérités, vos contrevérités,
Tout le monde s'en fiche à l'unanimité.

De vos épurations, vos collaborations,
Vos abominations et vos désolations,
De vos plats de choucroute et vos tasses de thé,
Tout le monde s'en fiche à l'unanimité.

En dépit de ces souvenirs qu'on commémor',
Des flammes qu'on ranime aux monuments aux Morts,
Des vainqueurs, des vaincus, des autres et de vous,
Révérence parler, tout le monde s'en fout.

La vi', comme dit l'autre, a repris tous ses droits.
Elles ne font plus beaucoup d'ombre, vos deux croix,
Et, petit à petit, vous voilà devenus,
L'Arc de triomphe en moins, des soldats inconnus.

Maintenant, j'en suis sûr, chers malheureux tontons,
Vous, l'ami des Tommi's, vous, l'ami des Teutons,
Si vous aviez vécu, si vous étiez ici,
C'est vous qui chanteriez la chanson que voici,

Chanteriez, en trinquant ensemble à vos santés,
Qu'il est fou de perdre la vi' pour des idé's,
Des idé's comme ça, qui viennent et qui font
Trois petits tours, trois petits morts, et puis s'en vont,

Qu'aucune idé' sur terre est digne d'un trépas,
Qu'il faut laisser ce rôle à ceux qui n'en ont pas,
Que prendre, sur-le-champ, l'ennemi comme il vient,
C'est de la bouilli' pour les chats et pour les chiens,

Qu'au lieu de mettre en jou' quelque vague ennemi,
Mieux vaut attendre un peu qu'on le change en ami,
Mieux vaut tourner sept fois sa crosse dans la main,
Mieux vaut toujours remettre une salve à demain,

Que les seuls généraux qu'on doit suivre aux talons,
Ce sont les généraux des p'tits soldats de plomb.
Ainsi, chanteriez-vous tous les deux en suivant
Malbrough qui va-t'en guerre au pays des enfants.

O vous, qui prenez aujourd'hui la clé des cieux,
Vous, les heureux coquins qui, ce soir, verrez Dieu,
Quand vous rencontrerez mes deux oncles, là-bas,
Offrez-leur de ma part ces « Ne m'oubliez pas »,

Ces deux myosotis fleuris dans mon jardin :
Un p'tit *forget me not* pour mon oncle Martin,
Un p'tit *vergiss mein nicht* pour mon oncle Gaston,
Pauvre ami des Tommi's, pauvre ami des Teutons...

Vénus callipyge

Que jamais l'art abstrait, qui sévit maintenant,
N'enlève à vos attraits ce volume étonnant.
Au temps où les faux-culs sont la majorité,
Gloire à celui qui dit toute la vérité !

Votre dos perd son nom avec si bonne grâce,
Qu'on ne peut s'empêcher de lui donner raison.
Que ne suis-je, madame, un poète de race,
Pour dire à sa louange un immortel blason. *(bis)*

En le voyant passer, j'en eus la chair de poule,
Enfin, je vins au monde et, depuis, je lui vou'
Un culte véritable et, quand je perds aux boules,
En embrassant Fanny, je ne pense qu'à vous. *(bis)*

Pour obtenir, madame, un galbe de cet ordre,
Vous devez torturer les gens de votre entour,
Donner aux couturiers bien du fil à retordre,
Et vous devez crever votre dame d'atours. *(bis)*

C'est le duc de Bordeaux qui s'en va, tête basse,
Car il ressemble au mien comme deux gouttes d'eau,
S'il ressemblait au vôtre on dirait, quand il passe :
« C'est un joli garçon que le duc de Bordeaux ! » *(bis)*

Ne faites aucun cas des jaloux qui professent
Que vous avez placé votre orgueil un peu bas,
Que vous présumez trop, en somme de vos fesses,
Et surtout, par faveur, ne vous asseyez pas ! *(bis)*

Laissez-les raconter qu'en sortant de calèche
La brise a fait voler votre robe et qu'on vit,
Écrite dans un cœur transpercé d'une flèche,
Cette expression triviale : « A Julot pour la vi'. » *(bis)*

Laissez-les dire encor qu'à la cour d'Angleterre,
Faisant la révérence aux souverains anglois,
Vous êtes, patatras ! tombée assise à terre :
La loi d' la pesanteur est dur', mais c'est la loi. *(bis)*

Nul ne peut aujourd'hui trépasser sans voir Naples,
A l'assaut des chefs-d'œuvre ils veulent tous courir !
Mes ambitions à moi sont bien plus raisonnables :
Voir votre académie, madame, et puis mourir. *(bis)*

Que jamais l'art abstrait, qui sévit maintenant,
N'enlève à vos attraits ce volume étonnant.
Au temps où les faux-culs sont la majorité,
Gloire à celui qui dit toute la vérité !

Le mouton de Panurge

Elle n'a pas encor' de plumes
La flèch' qui doit percer son flanc,
Et dans son cœur rien ne s'allume
Quand elle cède à ses galants.
Elle se rit bien des gondoles,
Des fleurs bleu's, des galants discours,
Des Vénus de la vieille école, } *(bis)*
Cell's qui font l'amour par amour.

N'allez pas croire davantage
Que le démon brûle son corps.
Il s'arrête au premier étage,
Son septième ciel, et encor !
Elle n'est jamais langoureuse,
Passé' par le pont des Soupirs,
Et voit comm' des bêtes curieuses, } *(bis)*
Cell's qui font l'amour par plaisir.

Croyez pas qu'elle soit à vendre.
Quand on l'a mise sur le dos,
On n'est pas tenu de se fendre
D'un somptueux petit cadeau.
Avant d'aller en bacchanale
Ell' présente pas un devis,
Ell' n'a rien de ces bell's vénales, } *(bis)*
Cell's qui font l'amour par profit.

Mais alors, pourquoi cède-t-elle,
Sans cœur, sans lucre, sans plaisir ?
Si l'amour vaut pas la chandelle,
Pourquoi le jou'-t-elle à loisir ?
Si quiconque peut, sans ambages,
L'aider à dégrafer sa rob',

C'est parc' qu'ell' veut être à la page,
Que c'est la mode et qu'elle est snob. } *(bis)*

Mais changent coutumes et filles,
Un jour, peut-être, en son sein nu,
Va se planter pour tout' la vie
Une petite flèch' perdu'.
On n' verra plus qu'elle en gondole,
Elle ira jouer, à son tour,
Les Vénus de la vieille école,
Cell's qui font l'amour par amour. } *(bis)*

La route aux quatre chansons

J'ai pris la route de Dijon
Pour voir un peu la Marjolaine,
La belle, digue digue don,
Qui pleurait près de la fontaine.
Mais elle avait changé de ton,
Il lui fallait des ducatons
Dedans son bas de laine
Pour n'avoir plus de peine.
Elle m'a dit : « Tu viens, chéri ?
Et si tu me pay's un bon prix,
Aux anges je t'emmène,
Digue digue don daine. »
La Marjolain' pleurait surtout
Quand elle n'avait pas de sous.
La Marjolain' de la chanson
Avait de plus nobles façons.

J'ai passé le pont d'Avignon
Pour voir un peu les belles dames

Et les beaux messieurs tous en rond
Qui dansaient, dansaient, corps et âmes.
Mais ils avaient changé de ton,
Ils faisaient fi des rigodons,
Menuets et pavanes,
Tarentelles, sardanes,
Et les bell's dam's m'ont dit ceci :
« Étranger, sauve-toi d'ici
Ou l'on donne l'alarme
Aux chiens et aux gendarmes ! »
Quelle mouch' les a donc piquées,
Ces belles dam's si distinguées ?
Les belles dam's de la chanson
Avaient de plus nobles façons.

Je me suis fait fair' prisonnier,
Dans les vieilles prisons de Nantes,
Pour voir la fille du geôlier
Qui, paraît-il, est avenante.
Mais elle avait changé de ton.
Quand j'ai demandé : « Que dit-on
Des affaires courantes,
Dans la ville de Nantes ? »
La mignonne m'a répondu :
« On dit que vous serez pendu
Aux matines sonnantes,
Et j'en suis bien contente ! »
Les geôlières n'ont plus de cœur
Aux prisons de Nante' et d'ailleurs.
La geôlière de la chanson
Avait de plus nobles façons.

Voulant mener à bonne fin
Ma folle course vagabonde,
Vers mes pénates je revins
Pour dormir auprès de ma blonde,

Mais elle avait changé de ton.
Avec elle, sous l'édredon,
Il y avait du monde
Dormant près de ma blonde.
J'ai pris le coup d'un air blagueur,
Mais, en cachette, dans mon cœur,
La peine était profonde,
L'chagrin lâchait la bonde.
Hélas ! du jardin de mon père,
La colombe s'est fait la paire...
Par bonheur, par consolation,
Me sont resté's les quatr' chansons.

Saturne

Il est morne, il est taciturne,
Il préside aux choses du temps,
Il porte un joli nom, « Saturne », } *(bis)*
Mais c'est un dieu fort inquiétant. }

En allant son chemin, morose,
Pour se désennuyer un peu,
Il joue à bousculer les roses, } *(bis)*
Le temps tu' le temps comme il peut. }

Cette saison, c'est toi, ma belle,
Qui as fait les frais de son jeu,
Toi qui as payé la gabelle } *(bis)*
Un grain de sel dans tes cheveux. }

C'est pas vilain, les fleurs d'automne,
Et tous les poètes l'ont dit.

Je te regarde et je te donne
Mon billet qu'ils n'ont pas menti. } *(bis)*

Viens encor, viens ma favorite,
Descendons ensemble au jardin,
Viens effeuiller la marguerite
De l'été de la Saint-Martin. } *(bis)*

Je sais par cœur toutes tes grâces
Et, pour me les faire oublier,
Il faudra que Saturne en fasse
Des tours d'horlog' de sablier !
Et la petit' pisseus' d'en face
Peut bien aller se rhabiller.

Le grand Pan

Du temps que régnait le grand Pan,
Les dieux protégeaient les ivrognes :
Un tas de géni's titubant,
Au nez rouge, à la rouge trogne.
Dès qu'un homm' vidait les cruchons,
Qu'un sac à vin faisait carousse,
Ils venaient en bande, à ses trousses,
Compter les bouchons.
La plus humble piquette était alors bénie,
Distillé' par Noé, Silène et compagnie,
Le vin donnait un lustre au pire des minus
Et le moindre pochard avait tout de Bacchus.
Mais, se touchant le crâne en criant : « J'ai trouvé ! »
La bande au professeur Nimbus est arrivé',
Qui s'est mise à frapper les cieux d'alignement,

Chasser les dieux du firmament.
Aujourd'hui, çà et là, les gens boivent encor
Et le feu du nectar fait toujours luir' les trognes,
Mais les dieux ne répondent plus pour les ivrognes :
Bacchus est alcoolique et le grand Pan est mort.

Quand deux imbéciles heureux
S'amusaient à des bagatelles,
Un tas de géni's amoureux
Venaient leur tenir la chandelle.
Du fin fond des Champs-Élysées,
Dès qu'ils entendaient un « Je t'aime »,
Ils accouraient à l'instant même
Compter les baisers.
La plus humble amourette était alors bénie,
Sacré' par Aphrodite, Eros et compagnie.
L'amour donnait un lustre au pire des minus
Et la moindre amoureuse avait tout de Vénus.
Mais, se touchant le crâne en criant : « J'ai trouvé ! »
La bande au professeur Nimbus est arrivé',
Qui s'est mise à frapper les cieux d'alignement,
Chasser les dieux du firmament.
Aujourd'hui, çà et là, les cœurs battent encor
Et la règle du jeu de l'amour est la même,
Mais les dieux ne répondent plus de ceux qui s'aiment :
Vénus s'est faite femme et le grand Pan est mort.

Et quand, fatale, sonnait l'heur'
De prendre un linceul pour costume,
Un tas de géni's, l'œil en pleur,
Vous offraient les honneurs posthumes.
Pour aller au céleste empire
Dans leur barque ils venaient vous prendre.
C'était presque un plaisir de rendre
Le dernier soupir.
La plus humble dépouille était alors bénie,

Embarqué' par Caron, Pluton et compagnie.
Au pire des minus l'âme était accordé'
Et le moindre mortel avait l'éternité.
Mais, se touchant le crâne en criant : « J'ai trouvé ! »
La bande au professeur Nimbus est arrivé',
Qui s'est mise à frapper les cieux d'alignement,
Chasser les dieux du firmament.
Aujourd'hui, çà et là, les gens passent encor,
Mais la tombe est, hélas ! la dernière demeure,
Et les dieux ne répondent plus de ceux qui meurent :
La mort est naturelle et le grand Pan est mort.

Et l'un des derniers dieux, l'un des derniers suprêmes,
Ne doit plus se sentir tellement bien lui-même.
Un beau jour on va voir le Christ
Descendre du Calvaire en disant dans sa lippe :
« Merde ! Je ne jou' plus pour tous ces pauvres types !
J'ai bien peur que la fin du monde soit bien triste. »

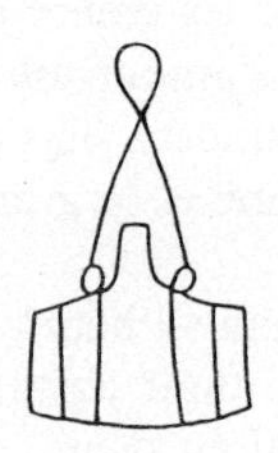

Disque 9

Face 1

Supplique pour être enterré à la plage de Sète
Le fantôme
La fessée
Le pluriel
Les quatre bacheliers

Face 2

Le bulletin de santé
La non-demande en mariage
Le grand chêne
Concurrence déloyale
L'épave
Le moyenâgeux

(1966)

Supplique pour être enterré à la plage de Sète

La camarde, qui ne m'a jamais pardonné
D'avoir semé des fleurs dans les trous de son nez,
Me poursuit d'un zèle imbécile.
Alors, cerné de près par les enterrements,
J'ai cru bon de remettre à jour mon testament,
De me payer un codicille.

Trempe, dans l'encre bleue du golfe du Lion,
Trempe, trempe ta plume, ô mon vieux tabellion,
Et, de ta plus belle écriture,
Note ce qu'il faudrait qu'il advînt de mon corps,
Lorsque mon âme et lui ne seront plus d'accord
Que sur un seul point : la rupture.

Quand mon âme aura pris son vol à l'horizon
Vers celles de Gavroche et de Mimi Pinson,
Celles des titis, des grisettes,
Que vers le sol natal mon corps soit ramené
Dans un sleeping du « Paris-Méditerranée »,
Terminus en gare de Sète.

Mon caveau de famille, hélas ! n'est pas tout neuf.
Vulgairement parlant, il est plein comme un œuf,
Et, d'ici que quelqu'un n'en sorte,
Il risque de se faire tard et je ne peux
Dire à ces braves gens « Poussez-vous donc un peu ! »
Place aux jeunes en quelque sorte.

Juste au bord de la mer, à deux pas des flots bleus,
Creusez, si c'est possible, un petit trou moelleux,
Une bonne petite niche,
Auprès de mes amis d'enfance, les dauphins,
Le long de cette grève où le sable est si fin,
Sur la plage de la Corniche.

C'est une plage où, même à ses moments furieux,
Neptune ne se prend jamais trop au sérieux,
Où, quand un bateau fait naufrage,
Le capitaine crie : « Je suis le maître à bord !
Sauve qui peut ! Le vin et le pastis d'abord !
Chacun sa bonbonne et courage ! »

Et c'est là que, jadis, à quinze ans révolus,
A l'âge où s'amuser tout seul ne suffit plus,
Je connus la prime amourette.
Auprès d'une sirène, une femme-poisson,
Je reçus de l'amour la première leçon,
Avalai la première arête.

Déférence gardée envers Paul Valéry,
Moi, l'humble troubadour, sur lui je renchéris,
Le bon maître me le pardonne,
Et qu'au moins, si ses vers valent mieux que les miens,
Mon cimetière soit plus marin que le sien,
Et n'en déplaise aux autochtones.

Cette tombe en sandwich, entre le ciel et l'eau,
Ne donnera pas une ombre triste au tableau,
Mais un charme indéfinissable.
Les baigneuses s'en serviront de paravent
Pour changer de tenue, et les petits enfants
Diront : « Chouette ! un château de sable ! »

Est-ce trop demander...! Sur mon petit lopin,
Plantez, je vous prie, une espèce de pin
Pin parasol, de préférence,
Qui saura prémunir contre l'insolation
Les bons amis venus fair' sur ma concession
D'affectueuses révérences.

Tantôt venant d'Espagne et tantôt d'Italie,
Tout chargés de parfums, de musiques jolies,
Le mistral et la tramontane
Sur mon dernier sommeil verseront les échos,
De villanelle un jour, un jour de fandango,
De tarentelle, de sardane...

Et quand, prenant ma butte en guise d'oreiller,
Une ondine viendra gentiment sommeiller
Avec moins que rien de costume,
J'en demande pardon par avance à Jésus,
Si l'ombre de ma croix s'y couche un peu dessus
Pour un petit bonheur posthume.

Pauvres rois, pharaons! Pauvre Napoléon!
Pauvres grands disparus gisant au Panthéon!
Pauvres cendres de conséquence!
Vous envierez un peu l'éternel estivant,
Qui fait du pédalo sur la vague en rêvant, *(bis)*
Qui passe sa mort en vacances...

Le fantôme

C'était tremblant, c'était troublant,
C'était vêtu d'un drap tout blanc,
Ça présentait tous les symptômes,
Tous les dehors de la vision,
Les faux airs de l'apparition,
En un mot, c'était un fantôme !

A sa manière d'avancer,
A sa façon de balancer
Les hanches quelque peu convexes,
Je compris que j'avais affaire
A quelqu'un du genr' que j' préfère :
A un fantôme du beau sexe.

« Je suis un p'tit poucet perdu,
Me dit-ell', d'un' voix morfondu',
Un pauvre fantôme en déroute.
Plus de trace des feux follets,
Plus de trace des osselets
Dont j'avais jalonné ma route !

« Des poèt's sans inspiration
Auront pris — quelle aberration ! —
Mes feux follets pour des étoiles.
De pauvres chiens de commissaire
Auront croqué — quelle misère ! —
Mes oss'lets bien garnis de moelle.

« A l'heure où le coq chantera,
J'aurai bonn' mine avec mon drap
Plein de faux plis et de coutures !
Et dans ce siècle profane où
Les gens ne croient plus guère à nous,
On va crier à l'imposture. »

Moi, qu'un chat perdu fait pleurer,
Pensez si j'eus le cœur serré
Devant l'embarras du fantôme.
« Venez, dis-je en prenant sa main,
Que je vous montre le chemin,
Que je vous reconduise *at home.* »

L'histoire finirait ici,
Mais la brise, et je l'en r'merci',
Troussa le drap d'ma cavalière...
Dame, il manquait quelques oss'lets,
Mais le reste, loin d'être laid,
Était d'un' grâce singulière.

Mon Cupidon, qui avait la
Flèche facile en ce temps-là,
Fit mouche et, le feu sur les tempes,
Je conviai, sournoisement,
La belle à venir un moment
Voir mes icônes, mes estampes...

« Mon cher, dit-ell', vous êtes fou !
J'ai deux mille ans de plus que vous...
— Le temps, madam', que nous importe ! »
Mettant le fantôm' sous mon bras,
Bien enveloppé dans son drap,
Vers mes pénates je l'emporte !

Eh bien, messieurs, qu'on se le dis' :
Ces belles dames de jadis
Sont de satané's polissonnes,
Plus expertes dans le déduit
Que certain's dames d'aujourd'hui,
Et je ne veux nommer personne !

Au p'tit jour on m'a réveillé,
On secouait mon oreiller
Avec un' fougu' plein' de promesses.
Mais, foin des délic's de Capoue !
C'était mon père criant : « Debout !
Vains dieux, tu vas manquer la messe ! » *(bis)*

La fessée

La veuve et l'orphelin, quoi de plus émouvant ?
Un vieux copain d'école étant mort sans enfants,
Abandonnant au monde une épouse épatante,
J'allais rendre visite à la désespérée.
Et puis, ne sachant plus où finir ma soirée,
Je lui tins compagni' dans la chapelle ardente.

Pour endiguer ses pleurs, pour apaiser ses maux,
Je me mis à blaguer, à sortir des bons mots,
Tous les moyens sont bons au médecin de l'âme...
Bientôt, par la vertu de quelques facéties,
La veuve se tenait les côtes, Dieu merci !
Ainsi que des bossus, tous deux nous rigolâmes.

Ma pipe dépassait un peu de mon veston.
Aimable, elle m'encouragea : « Bourrez-la donc,
Qu'aucun impératif moral ne vous arrête,
Si mon pauvre mari détestait le tabac,
Maintenant la fumé' ne le dérange pas !
Mais où diantre ai-je mis mon porte-cigarettes ? »

A minuit, d'une voix douce de séraphin,
Elle me demanda si je n'avais pas faim.

« Ça le ferait-il revenir, ajouta-t-elle,
De pousser la piété jusqu'à l'inanition :
Que diriez-vous d'une frugale collation ? »
Et nous fîmes un petit souper aux chandelles.

« Regardez s'il est beau ! Dirait-on point qu'il dort ?
Ce n'est certes pas lui qui me donnerait tort
De noyer mon chagrin dans un flot de champagne. »
Quand nous eûmes vidé le deuxième magnum,
La veuve était ému', nom d'un petit bonhomm' !
Et son esprit se mit à battre la campagne...

« Mon Dieu, ce que c'est tout de même que de nous ! »
Soupirait-elle, en s'asseyant sur mes genoux.
Et puis, ayant collé sa lèvre sur ma lèvre,
« Me voilà rassuré', fit-elle, j'avais peur
Que, sous votre moustache en tablier d' sapeur,
Vous ne cachiez coquettement un bec-de-lièvre... »

Un tablier d' sapeur, ma moustache, pensez !
Cette comparaison méritait la fessée.
Retroussant l'insolente avec nulle tendresse,
Conscient d'accomplir, somme toute, un devoir,
Mais en fermant les yeux pour ne pas trop en voir,
Paf ! j'abattis sur elle une main vengeresse !

« Aï' ! vous m'avez fêlé le postérieur en deux ! »
Se plaignit-elle, et je baissai le front, piteux,
Craignant avoir frappé de façon trop brutale.
Mais j'appris, par la suite, et j'en fus bien content,
Que cet état de chos's durait depuis longtemps :
Menteuse ! la fêlure était congénitale.

Quand je levai la main pour la deuxième fois,
Le cœur n'y était plus, j'avais perdu la foi,
Surtout qu'elle s'était enquise, la bougresse :

« Avez-vous remarqué que j'avais un beau cul ? »
Et ma main vengeresse est retombé', vaincu' ! *(bis)*
Et le troisième coup ne fut qu'une caresse...

Le pluriel

« Cher monsieur, m'ont-ils dit, vous en êtes un autre »,
Lorsque je refusai de monter dans leur train.
Oui, sans doute, mais moi, j' fais pas le bon apôtre,
Moi, je n'ai besoin de personn' pour en être un.

Le pluriel ne vaut rien à l'homme et sitôt qu'on
Est plus de quatre on est une bande de cons.
Bande à part, sacrebleu ! c'est ma règle et j'y tiens.
Dans les noms des partants on n' verra pas le mien.

Dieu ! que de processions, de monomes, de groupes,
Que de rassemblements, de cortèges divers,
Que de ligu's, que de cliqu's, que de meut's, que de
[troupes !
Pour un tel inventaire il faudrait un Prévert.

Le pluriel ne vaut rien à l'homme et sitôt qu'on
Est plus de quatre on est une bande de cons.
Bande à part, sacrebleu ! c'est ma règle et j'y tiens.
Parmi les cris des loups on n'entend pas le mien.

Oui, la cause était noble, était bonne, était belle !
Nous étions amoureux, nous l'avons épousée.
Nous souhaitions être heureux tous ensemble avec elle,
Nous étions trop nombreux, nous l'avons défrisée.

Le pluriel ne vaut rien à l'homme et sitôt qu'on
Est plus de quatre on est une bande de cons.
Bande à part, sacrebleu ! c'est ma règle et j'y tiens.
Parmi les noms d'élus on n' verra pas le mien.

Je suis celui qui passe à côté des fanfares
Et qui chante en sourdine un petit air frondeur.
Je dis, à ces messieurs que mes notes effarent :
« Tout aussi musicien que vous, tas de bruiteurs ! »

Le pluriel ne vaut rien à l'homme et sitôt qu'on
Est plus de quatre on est une bande de cons.
Bande à part, sacrebleu ! c'est ma règle et j'y tiens.
Dans les rangs des pupitr's on n' verra pas le mien.

Pour embrasser la dam', s'il faut se mettre à douze,
J'aime mieux m'amuser tout seul, cré nom de nom !
Je suis celui qui reste à l'écart des partouzes.
L'obélisque est-il un monolithe, oui ou non ?

Le pluriel ne vaut rien à l'homme et sitôt qu'on
Est plus de quatre on est une bande de cons.
Bande à part, sacrebleu ! c'est ma règle et j'y tiens.
Au faisceau des phallus on n' verra pas le mien.

Pas jaloux pour un sou des morts des hécatombes,
J'espère être assez grand pour m'en aller tout seul.
Je ne veux pas qu'on m'aide à descendre à la tombe,
Je partage n'importe quoi, pas mon linceul.

Le pluriel ne vaut rien à l'homme et sitôt qu'on
Est plus de quatre on est une bande de cons.
Bande à part, sacrebleu ! c'est ma règle et j'y tiens.
Au faisceau des tibias on n' verra pas les miens.

Les quatre bacheliers

Nous étions quatre bacheliers
Sans vergogne,
La vrai' crème des écoliers,
Des écoliers.

Pour offrir aux filles des fleurs,
Sans vergogne,
Nous nous fîmes un peu voleurs,
Un peu voleurs.

Les sycophantes du pays,
Sans vergogne,
Aux gendarmes nous ont trahis,
Nous ont trahis.

Et l'on vit quatre bacheliers
Sans vergogne,
Qu'on emmène, les mains lié's,
Les mains lié's.

On fit venir à la prison,
Sans vergogne,
Les parents des mauvais garçons,
Mauvais garçons.

Les trois premiers pères, les trois,
Sans vergogne,
En perdirent tout leur sang-froid,
Tout leur sang-froid.

Comme un seul ils ont déclaré,
Sans vergogne,
Qu'on les avait déshonoré',
Déshonorés.

Comme un seul ont dit : « C'est fini,
Sans vergogne,
Fils indigne, je te reni',
Je te reni'. »

Le quatrième des parents,
Sans vergogne,
C'était le plus gros, le plus grand,
Le plus grand.

Quand il vint chercher son voleur,
Sans vergogne,
On s'attendait à un malheur,
A un malheur.

Mais il n'a pas déclaré, non,
Sans vergogne,
Que l'on avait sali son nom,
Sali son nom.

Dans le silence on l'entendit,
Sans vergogne,
Qui lui disait : « Bonjour, petit,
Bonjour petit. »

On le vit, on le croirait pas,
Sans vergogne,
Lui tendre sa blague à tabac,
Blague à tabac.

Je ne sais pas s'il eut raison,
Sans vergogne,
D'agir d'une telle façon,
Telle façon.

Mais je sais qu'un enfant perdu,
Sans vergogne,
A de la corde de pendu,
De pendu,

A de la chance quand il a,
Sans vergogne,
Un père de ce tonneau-là,
Ce tonneau-là.

Et si les chrétiens du pays,
Sans vergogne,
Jugent que cet homme a failli,
Homme a failli.

Ça laisse à penser que, pour eux,
Sans vergogne,
L'Évangile, c'est de l'hébreu,
C'est de l'hébreu. *(bis)*

Le bulletin de santé

J'ai perdu mes bajou's, j'ai perdu ma bedaine,
Et, ce, d'une façon si nette, si soudaine,
Qu'on me suppose un mal qui ne pardonne pas,
Qui se rit d'Esculape et le laisse baba.

Le monstre du Loch Ness ne faisant plus recette
Durant les moments creux dans certaines gazettes,
Systématiquement, les nécrologues jou'nt
A me mettre au linceul sous des feuilles de chou.

Or, lassé de servir de tête de massacre,
Des contes à mourir debout qu'on me consacre,
Moi qui me porte bien, qui respir' la santé,
Je m'avance et je cri' toute la vérité.

Toute la vérité, messieurs, je vous la livre :
Si j'ai quitté les rangs des plus de deux cents livres,
C'est la faute à Mimi, à Lisette, à Ninon,
Et bien d'autres, j'ai pas la mémoire des noms.

Si j'ai trahi les gros, les joufflus, les obèses,
C'est que je baise, que je baise, que je baise
Comme un bouc, un bélier, une bête, une brut',
Je suis hanté : le rut, le rut, le rut, le rut !

Qu'on me comprenne bien, j'ai l'âme du satyre
Et son comportement, mais ça ne veut point dire
Que j'en ai' le talent, le géni', loin s'en faut !
Pas une seule encor ne m'a crié « bravo ! »

Entre autres fines fleurs, je compte, sur ma liste
Rose, un bon nombre de femmes de journalistes
Qui, me pensant fichu, mettent toute leur foi
A m' donner du bonheur une dernière fois.

C'est beau, c'est généreux, c'est grand, c'est magnifique !
Et, dans les positions les plus pornographiques,
Je leur rends les honneurs à fesses rabattu's
Sur des tas de bouillons, des paquets d'invendus.

Et voilà ce qui fait que, quand vos légitimes
Montrent leurs fess' au peuple ainsi qu'à vos intimes,
On peut souvent y lire, imprimés à l'envers,
Les échos, les petits potins, les faits divers.

Et si vous entendez sourdre, à travers les plinthes
Du boudoir de ces dam's, des râles et des plaintes,
Ne dites pas : « C'est tonton Georges qui expire »,
Ce sont tout simplement les anges qui soupirent.

Et si vous entendez crier comme en quatorze :
« Debout ! Debout les morts ! » ne bombez pas le torse,
C'est l'épouse exalté' d'un rédacteur en chef
Qui m'incite à monter à l'assaut derechef.

Certe', il m'arrive bien, revers de la médaille,
De laisser quelquefois des plum's à la bataille...
Hippocrate dit : « Oui, c'est des crêtes de coq »,
Et Gallien répond : « Non, c'est des gonocoqu's... »

Tous les deux ont raison. Vénus parfois vous donne
De méchants coups de pied qu'un bon chrétien pardonne,
Car, s'ils causent du tort aux attributs virils,
Ils mettent rarement l'existence en péril.

Eh bien, oui, j'ai tout ça, rançon de mes fredaines.
La barque pour Cythère est mise en quarantaine.
Mais je n'ai pas encor, non, non, non, trois fois non,
Ce mal mystérieux dont on cache le nom.

Si j'ai trahi les gros, les joufflus, les obèses,
C'est que je baise, que je baise, que je baise
Comme un bouc, un bélier, une bête, une brut',
Je suis hanté : le rut, le rut, le rut, le rut !

La non-demande en mariage

Ma mi', de grâce, ne mettons
Pas sous la gorge à Cupidon
Sa propre flèche,
Tant d'amoureux l'ont essayé
Qui, de leur bonheur, ont payé
Ce sacrilège...

Refrain

J'ai l'honneur de
Ne pas te de-
mander ta main,
Ne gravons pas
Nos noms au bas
D'un parchemin.

Laissons le champ libre à l'oiseau,
Nous serons tous les deux priso-
nniers sur parole,
Au diable, les maîtresses queux
Qui attachent les cœurs aux queu's
Des casseroles !

Vénus se fait vieille souvent,
Elle perd son latin devant
La lèchefrite...
A aucun prix, moi, je ne veux
Effeuiller dans le pot-au-feu
La marguerite.

On leur ôte bien des attraits,
En dévoilant trop les secrets
De Mélusine.

L'encre des billets doux pâlit
Vite entre les feuillets des livres de cuisine.

Il peut sembler de tout repos
De mettre à l'ombre, au fond d'un pot
De confiture,
La joli' pomme défendu',
Mais elle est cuite, elle a perdu
Son goût « nature ».

De servante n'ai pas besoin,
Et du ménage et de ses soins
Je te dispense...
Qu'en éternelle fiancée,
A la dame de mes pensée'
Toujours je pense...

Le grand chêne

Il vivait en dehors des chemins forestiers,
Ce n'était nullement un arbre de métier,
Il n'avait jamais vu l'ombre d'un bûcheron,
Ce grand chêne fier sur son tronc.

Il eût connu des jours filés d'or et de soie
Sans ses proches voisins, les pires gens qui soient,
Des roseaux mal pensant, pas même des bambous,
S'amusant à le mettre à bout.

Du matin jusqu'au soir ces petits rejetons,
Tout juste cann's à pêch', à peine mirlitons,

Lui tournant tout autour chantaient, *in extenso*,
L'histoire du chêne et du roseau.

Et, bien qu'il fût en bois (les chênes, c'est courant),
La fable ne le laissait pas indifférent.
Il advint que, lassé d'être en butte aux lazzi,
Il se résolut à l'exi(l).

A grand-peine il sortit ses grands pieds de son trou
Et partit sans se retourner ni peu ni prou.
Mais, moi qui l'ai connu, je sais bien qu'il souffrit
De quitter l'ingrate patri'.

A l'oré' des forêts, le chêne ténébreux
A lié connaissance avec deux amoureux.
« Grand chêne, laisse-nous sur toi graver nos noms... »
Le grand chêne n'a pas dit non.

Quand ils eur'nt épuisé leur grand sac de baisers,
Quand, de tant s'embrasser, leurs becs furent usés,
Ils ouïrent alors, en retenant des pleurs,
Le chêne contant ses malheurs.

« Grand chên', viens chez nous, tu trouveras la paix,
Nos roseaux savent vivre et n'ont aucun toupet,
Tu feras dans nos murs un aimable séjour,
Arrosé quatre fois par jour. »

Cela dit, tous les trois se mirent en chemin,
Chaque amoureux tenant une racine en main.
Comme il semblait content ! Comme il semblait heureux !
Le chêne entre ses amoureux.

Au pied de leur chaumière ils le firent planter.
Ce fut alors qu'il commença de déchanter
Car, en fait d'arrosage, il n'eut rien que la plui',
Des chiens levant la patt', sur lui.

On a pris tous ses glands pour nourrir les cochons,
Avec la belle écorce on a fait des bouchons,
Chaque fois qu'un arrêt de mort était rendu,
C'est lui qui' héritait du pendu.

Puis ces mauvaises gens, vandales accomplis,
Le coupèrent en quatre et s'en firent un lit.
Et l'horrible mégère ayant des tas d'amants,
Il vieillit prématurément.

Un triste jour, enfin, ce couple sans aveu
Le passa par la hache et le mit dans le feu.
Comme du bois de caisse, amère destinée !
Il périt dans la cheminée.

Le curé de chez nous, petit saint besogneux,
Doute que sa fumé' s'élève jusqu'à Dieu.
Qu'est-c' qu'il en sait, le bougre, et qui donc lui a dit
Qu'y a pas de chêne en paradis ? *(bis)*

Concurrence déloyale

Il y' a péril en la demeure,
Depuis que les femmes de bonnes mœurs,
Ces trouble-fête,
Jalouses de Manon Lescaut,
Viennent débiter leurs gigots
A la sauvette.

Ell's ôt'nt le bonhomm' de dessus
La brave horizontal' déçu',
Ell's prenn'nt sa place.

De la bouche au pauvre tapin
Ell's retir'nt le morceau de pain,
C'est dégueulasse.

En vérité, je vous le dis,
Il y' en a plus qu'en Normandie
Il y a de pommes.
Sainte-Mad'lein', protégez-nous,
Le métier de femme ne nou-
rrit plus son homme.

Y' a ces gamines de malheur,
Ces goss's qui, tout en suçant leur
Pouc' de fillette,
Se livrent au détournement
De majeur et, vénalement,
Trouss'nt leur layette.

Y' a ces rombièr's de qualité,
Ces punais's de salon de thé
Qui se prosternent,
Qui, pour redorer leur blason,
Viennent accrocher leur vison
A la lanterne.

Y' a ces p'tit's bourgeoises faux culs
Qui, d'accord avec leur cocu,
Clerc de notaire,
Au prix de gros vendent leur corps,
Leurs charmes qui fleurent encor
La pomm' de terre.

Lors, délaissant la fill' de joi',
Le client peut faire son choix
Tout à sa guise,
Et se payer beaucoup moins cher

Des collégienn's, des ménagèr's,
Et des marquises.

Ajoutez à ça qu'aujourd'hui
La mani' de l'acte gratuit
Se développe,
Que des créatur's se font cul-
buter à l'œil et sans calcul.
Ah ! les salopes !

Ell's ôt'nt le bonhomm' de dessus
La brave horizontal' déçu',
Ell's prenn'nt sa place.
De la bouche au pauvre tapin
Ell's retir'nt le morceau de pain,
C'est dégueulasse.

L'épave

J'en appelle à Bacchus ! A Bacchus j'en appelle !
Le tavernier du coin vient d' me la bailler belle.
De son établiss'ment j'étais l' meilleur pilier.
Quand j'eus bu tous mes sous, il me mit à la porte
En disant : « Les poivrots, le diable les emporte ! »
Ça n' fait rien, il y' a des bistrots bien singuliers...

Un certain va-nu-pieds qui passe et me trouve ivre
Mort, croyant tout de bon que j'ai cessé de vivre
(Vous auriez fait pareil), s'en prit à mes souliers.
Pauvre homme ! vu l'état piteux de mes godasses,
Je dout' qu'il trouve avec son chemin de Damas-se.
Ça n' fait rien, il y' a des passants bien singuliers...

Un étudiant miteux s'en prit à ma liquette
Qui, à la faveur d' la nuit lui' avait paru coquette,
Mais en plein jour ses yeux ont dû se dessiller.
Je l' plains de tout mon cœur, pauvre enfant, s'il l'a mise,
Vu que, d'un homme heureux, c'était loin d'êtr' la
[ch'mise.
Ça n' fait rien, y' a des étudiants bien singuliers...

La femm' d'un ouvrier s'en prit à ma culotte.
« Pas ça, madam', pas ça, mille et un coups de bottes
Ont tant usé le fond que, si vous essayiez
D' la mettre à votr' mari, bientôt, je vous en fiche
Mon billet, il aurait du verglas sur les miches. »
Ça n' fait rien, il y' a des ménages bien singuliers...

Et j'étais là, tout nu, sur le bord du trottoir—e
Exhibant, malgré moi, mes humbles génitoires.
Une petit' vertu rentrant de travailler,
Elle qui, chaque soir, en voyait un' douzaine,
Courut dire aux agents : « J'ai vu que'qu' chos'
[d'obscène ! »
Ça n' fait rien, il y' a des tapins bien singuliers...

Le r'présentant d' la loi vint, d'un pas débonnaire.
Sitôt qu'il m'aperçut il s'écria : « Tonnerre !
On est en plein hiver et si vous vous geliez ! »
Et, de peur que j' n'attrape une fluxion d' poitrine,
Le bougre, il me couvrit avec sa pèlerine.
Ça n' fait rien, il y' a des flics bien singuliers...

Et depuis ce jour-là, moi, le fier, le bravache,
Moi, dont le cri de guerr' fut toujours « Mort aux vaches ! »
Plus une seule fois je n'ai pu le brailler.
J'essaye bien encor, mais ma langue honteuse
Retombe lourdement dans ma bouche pâteuse.
Ça n' fait rien, nous vivons un temps bien singulier...

Le moyenâgeux

Le seul reproche, au demeurant,
Qu'aient pu mériter mes parents,
C'est d'avoir pas joué plus tôt
Le jeu de la bête à deux dos.
Je suis né, même pas bâtard,
Avec cinq siècles de retard.
Pardonnez-moi, Prince, si je
Suis foutrement moyenâgeux.

Ah ! que n'ai-je vécu, bon sang !
Entre quatorze et quinze cent.
J'aurais retrouvé mes copains
Au *Trou de la pomme de pin*,
Tous les beaux parleurs de jargon,
Tous les promis de Montfaucon,
Les plus illustres seigneuries
Du royaum' de truanderie.

Après une franche repue,
J'eusse aimé, toute honte bue,
Aller courir le cotillon
Sur les pas de François Villon,
Troussant la gueuse et la forçant
Au cimetièr' des Innocents,
Mes amours de ce siècle-ci
N'en aient aucune jalousie...

J'eusse aimé le corps féminin
Des nonnettes et des nonnains
Qui, dans ces jolis temps bénis,
Ne disaient pas toujours « nenni »,
Qui faisaient le mur du couvent,
Qui, Dieu leur pardonne ! souvent,

Comptaient les baisers, s'il vous plaît,
Avec des grains de chapelet.

Ces p'tit's sœurs, trouvant qu'à leur goût
Quatre Évangil's c'est pas beaucoup,
Sacrifiaient à un de plus :
L'évangile selon Vénus.
Témoin : l'abbesse de Pourras,
Qui fut, qui reste et restera
La plus glorieuse putain
De moines du quartier Latin.

A la fin, les anges du guet
M'auraient conduit sur le gibet.
Je serais mort, jambes en l'air,
Sur la veuve patibulaire,
En arrosant la mandragore,
L'herbe aux pendus qui revigore,
En bénissant avec les pieds
Les ribaudes apitoyé's.

Hélas ! tout ça, c'est des chansons.
Il faut se faire une raison.
Les choux-fleurs poussent à présent
Sur le chantier des Innocents.
Le *Trou de la pomme de pin*
N'est plus qu'un bar américain.
Y' a quelque chose de pourri
Au royaum' de truanderi'.

Je mourrai pas à Montfaucon,
Mais dans un lit, comme un vrai con,
Je mourrai, pas même pendard,
Avec cinq siècles de retard.
Ma dernière parole soit
Quelques vers de Maître François,

Et que j'emporte entre les dents
Un flocon des neiges d'antan...

Ma dernière parole soit
Quelques vers de Maître François...

Pardonnez-moi, Prince, si je
Suis foutrement moyenâgeux.

Disque 10

Face 1

Misogynie à part
Bécassine
L'ancêtre
Rien à jeter
Oiseaux de passage

Face 2

La religieuse
Pensées des morts
La rose, la bouteille et la poignée de main
Sale petit bonhomme

(1969)

Misogynie à part

Misogynie à part, le sage avait raison :
Il y' a les emmerdant's, on en trouve à foison,
En foule elles se pressent.
Il y' a les emmerdeus's, un peu plus raffiné's,
Et puis, très nettement au-dessus du panier,
Y' a les emmerderesses.

La mienne, à elle seul', sur tout's surenchérit,
Ell' relève à la fois des trois catégori's,
Véritable prodige,
Emmerdante, emmerdeuse, emmerderesse itou,
Elle passe, ell' dépasse, elle surpasse tout,
Ell' m'emmerde, vous dis-je.

Mon Dieu, pardonnez-moi ces propos bien amers,
Ell' m'emmerde, ell' m'emmerde, ell' m'emmerde, ell'
[m'emmer-
De, elle abuse, elle attige,
Ell' m'emmerde et j' regrett' mes bell's amours avec
La p'tite enfant d' Mari' que m'a soufflé' l'évêque,
Ell' m'emmerde, vous dis-je.

Ell' m'emmerde, ell' m'emmerde et m'oblige à me cu-
rer les ongles avant de confirmer son cul,
Or, c'est pas Callipyge.
Et la charité seul' pouss' ma main résigné'

Vers ce cul rabat-joi', conique renfrogné,
Ell' m'emmerde, vous dis-je.

Ell' m'emmerde, ell' m'emmerde, je le répète et quand
Ell' me tape sur le ventre, elle garde ses gants,
Et ça me désoblige.
Outre que ça dénote un grand manque de tact,
Ça n' favorise pas tellement le contact,
Ell' m'emmerde, vous dis-je.

Ell' m'emmerde, ell' m'emmerd', quand je tombe à
[genoux
Pour certain's dévotions qui sont bien de chez nous
Et qui donn'nt le vertige,
Croyant l'heure venu' de chanter le *credo*,
Elle m'ouvre tout grand son missel sur le dos,
Ell' m'emmerde, vous dis-je.

Ell' m'emmerde, ell' m'emmerde, à la fornication
Ell' s'emmerde, ell' s'emmerde avec ostentation,
Ell' s'emmerde, vous dis-je.
Au lieu de s'écrier : « Encor ! hardi ! hardi ! »
Ell' déclam' du Claudel, du Claudel, j'ai bien dit,
Alors ça, ça me fige.

Ell' m'emmerde, ell' m'emmerd', j'admets que ce
[Claudel
Soit un homm' de génie, un poète immortel,
J' reconnais son prestige,
Mais qu'on aille chercher dedans son œuvre pie
Un aphrodisiaque, non, ça, c'est d' l'utopie !
Ell' m'emmerde, vous dis-je. *(bis)*

Bécassine

Un champ de blé prenait racine
Sous la coiffe de Bécassine,
Ceux qui cherchaient la Toison d'or
Ailleurs avaient bigrement tort.
Tous les seigneurs du voisinage,
Les gros bonnets, grands personnages,
Rêvaient de joindre à leur blason
Une boucle de sa toison.
Un champ de blé prenait racine
Sous la coiffe de Bécassine.

C'est une espèce de robin,
N'ayant pas l'ombre d'un lopin,
Qu'elle laissa pendre, vainqueur,
Au bout de ses accroche-cœurs.
C'est une sorte de manant,
Un amoureux du tout-venant
Qui pourra chanter la chanson
Des blés d'or en toute saison
Et jusqu'à l'heure du trépas,
Si le diable s'en mêle pas.

Au fond des yeux de Bécassine
Deux pervenches prenaient racine,
Si belles que Sémiramis
Ne s'en est jamais bien remis'.
Et les grands noms à majuscules,
Les Cupidons à particules
Auraient cédé tous leurs acquêts
En échange de ce bouquet.
Au fond des yeux de Bécassine
Deux pervenches prenaient racine.

C'est une espèce de gredin,
N'ayant pas l'ombre d'un jardin,
Un soupirant de rien du tout
Qui lui fit faire les yeux doux.
C'est une sorte de manant,
Un amoureux du tout-venant
Qui pourra chanter la chanson
Des fleurs bleu's en toute saison
Et jusqu'à l'heure du trépas,
Si le diable s'en mêle pas.

A sa bouche, deux belles guignes,
Deux cerises tout à fait dignes,
Tout à fait dignes du panier
De madame de Sévigné.
Les hobereaux, les gentillâtres,
Tombés tous fous d'elle, idolâtres,
Auraient bien mis leur bourse à plat
Pour s'offrir ces deux guignes-là,
Tout à fait dignes du panier
De madame de Sévigné.

C'est une espèce d'étranger,
N'ayant pas l'ombre d'un verger,
Qui fit s'ouvrir, qui étrenna
Ses joli' lèvres incarnat.
C'est une sorte de manant,
Un amoureux du tout-venant
Qui pourra chanter la chanson
Du temps des c'ris's en tout' saison
Et jusqu'à l'heure du trépas,
Si le diable s'en mêle pas.

C'est une sorte de manant,
Un amoureux du tout-venant
Qui pourra chanter la chanson

Du temps des c'ris's en tout' saison
Et jusqu'à l'heure du trépas,
Si le diable s'en mêle pas.

L'ancêtre

Notre voisin l'ancêtre était un fier galant
Qui n'emmerdait personne avec sa barbe blanche,
Et quand le bruit courut qu' ses jours étaient comptés,
On s'en fut à l'hospice afin de l'assister.

On avait apporté les guitar's avec nous
Car, devant la musique, il tombait à genoux,
Excepté toutefois les marches militaires
Qu'il écoutait en se tapant le cul par terre. *(bis)*

Émules de Django, disciples de Crolla,
Toute la fine fleur des cordes était là
Pour offrir à l'ancêtre, en signe d'affection,
En guis' de viatique, une ultime audition. *(bis)*

Hélas ! les carabins ne les ont pas reçus,
Les guitar's sont resté's à la porte cochère,
Et le dernier concert de l'ancêtre déçu
Ce fut un pot-pourri de cantiques, peuchère !

Quand nous serons ancêtres,
Du côté de Bicêtre,
Pas de musique d'orgue, oh ! non,
Pas de chants liturgiques
Pour qui aval' sa chique,
Mais des guitar's, cré nom de nom ! *(bis)*

On avait apporté quelques litres aussi,
Car le bonhomme avait la fièvre de Bercy
Et les soirs de nouba, parol' de tavernier,
A rouler sous la table il était le dernier. *(bis)*

Saumur, entre-deux-mers, beaujolais, marsala,
Toute la fine fleur de la vigne était là
Pour offrir à l'ancêtre, en signe d'affection,
En guis' de viatique, une ultime libation. *(bis)*

Hélas ! les carabins ne les ont pas reçus,
Les litres sont restés à la porte cochère,
Et l' coup de l'étrier de l'ancêtre déçu
Ce fut un grand verre d'eau bénite, peuchère !

Quand nous serons ancêtres,
Du côté de Bicêtre,
Ne nous faites pas boire, oh ! non,
De ces eaux minéral's,
Bénites ou lustrales,
Mais du bon vin, cré nom de nom ! *(bis)*

On avait emmené les belles du quartier,
Car l'ancêtre courait la gueuse volontiers.
De sa main toujours leste et digne cependant
Il troussait les jupons par n'importe quel temps. *(bis)*

Depuis Manon Lescaut jusques à Dalila
Toute la fine fleur du beau sexe était là
Pour offrir à l'ancêtre, en signe d'affection,
En guis' de viatique, une ultime érection. *(bis)*

Hélas ! les carabins ne les ont pas reçu's,
Les belles sont restées à la porte cochère,
Et le dernier froufrou de l'ancêtre déçu
Ce fut celui d'une robe de sœur, peuchère !

Quand nous serons ancêtres,
Du côté de Bicêtre,
Pas d'enfants de Marie, oh ! non,
Remplacez-nous les nonnes
Par des belles mignonnes
Et qui fument, cré nom de nom ! *(bis)*

Rien à jeter

Sans ses cheveux qui volent
J'aurais, dorénavant,
Des difficultés folles
A voir d'où vient le vent.

Tout est bon chez elle, y' a rien à jeter,
Sur l'île déserte il faut tout emporter.

Je me demande comme
Subsister sans ses joues
M'offrant deux belles pommes
Nouvelles chaque jour.

Tout est bon chez elle, y' a rien à jeter,
Sur l'île déserte il faut tout emporter.

Sans sa gorge, ma tête,
Dépourvu' de coussin,
Reposerait par terre
Et rien n'est plus malsain.

Tout est bon chez elle, y' a rien à jeter,
Sur l'île déserte il faut tout emporter.

Sans ses hanches solides
Comment faire, demain,
Si je perds l'équilibre,
Pour accrocher mes mains ?

Tout est bon chez elle, y' a rien à jeter,
Sur l'île déserte il faut tout emporter.

Elle a mille autres choses
Précieuses encore
Mais, en spectacle, j'ose
Pas donner tout son corps.

Tout est bon chez elle, y' a rien à jeter,
Sur l'île déserte il faut tout emporter.

Des charmes de ma mie
J'en passe et des meilleurs.
Vos cours d'anatomie
Allez les prendre ailleurs.

Tout est bon chez elle, y' a rien à jeter,
Sur l'île déserte il faut tout emporter.

D'ailleurs, c'est sa faiblesse,
Elle tient à ses os
Et jamais ne se laisse-
rait couper en morceaux.

Tout est bon chez elle, y' a rien à jeter,
Sur l'île déserte il faut tout emporter.

Elle est quelque peu fière
Et chatouilleuse assez,
Et l'on doit tout entière
La prendre ou la laisser.

Tout est bon chez elle, y' a rien à jeter,
Sur l'île déserte il faut tout emporter.

Oiseaux de passage

Poème de Jean Richepin.

...

Oh ! vie heureuse des bourgeois ! Qu'avril bourgeonne
Ou que décembre gèle, ils sont fiers et contents.
Ce pigeon est aimé trois jours par sa pigeonne ;
Ça lui suffit, il sait que l'amour n'a qu'un temps.

Ce dindon a toujours béni sa destinée.
Et quand vient le moment de mourir, il faut voir
Cette jeune oie en pleurs : « C'est là que je suis née ;
Je meurs près de ma mère et j'ai fait mon devoir. »

...

Elle a fait son devoir ! C'est-à-dire que oncque
Elle n'eut de souhait impossible, elle n'eut
Aucun rêve de lune, aucun désir de jonque
L'emportant sans rameurs sur un fleuve inconnu.

...

Et tous sont ainsi faits ! Vivre la même vie
Toujours, pour ces gens-là cela n'est point hideux.
Ce canard n'a qu'un bec, et n'eut jamais envie
Ou de n'en plus avoir ou bien d'en avoir deux.

...

N'avoir* aucun besoin de baisers sur les lèvres
Et, loin des songes vains, loin des soucis cuisants,
Posséder pour tout cœur un viscère sans fièvres,
Un coucou régulier et garanti dix ans !

Oh ! les gens bienheureux !... Tout à coup, dans l'espace,
Si haut qu'il semble aller lentement, un grand vol
En forme de triangle arrive, plane et passe.
Où vont-ils ? Qui sont-ils ? Comme ils sont loin du sol !

...

Regardez-les passer ! Eux, ce sont les sauvages.
Ils vont où leur désir le veut, par-dessus monts,
Et bois, et mers, et vents, et loin des esclavages.
L'air qu'ils boivent ferait éclater vos poumons.

Regardez-les ! Avant d'atteindre sa chimère,
Plus d'un, l'aile rompue et du sang plein les yeux,
Mourra. Ces pauvres gens ont aussi femme et mère,
Et savent les aimer aussi bien que vous, mieux.

Pour choyer cette femme et nourrir cette mère,
Ils pouvaient devenir volailles comme vous.
Mais ils sont avant tout des fils de la chimère,
Des assoiffés d'azur, des poètes, des fous.

...

Regardez-les, vieux coq, jeune oie édifiante !
Rien de vous ne pourra monter aussi haut qu'eux.
Et le peu qui viendra d'eux à vous, c'est leur fiente.
Les bourgeois sont troublés de voir passer les gueux. } *(bis)*

* *Variante G.B.* : Ils n'ont.

La religieuse

Tous les cœurs se rallient à sa blanche cornette,
Si le chrétien succombe à son charme insidieux,
Le païen le plus sûr, l'athé' le plus honnête
Se laisseraient aller parfois à croire en Dieu.
Et les enfants de chœur font tinter leur sonnette...

Il paraît que, dessous sa cornette fatale
Qu'elle arbore à la messe avec tant de rigueur,
Cette petite sœur cache, c'est un scandale !
Une queu' de cheval et des accroche-cœurs.
Et les enfants de chœur s'agitent dans les stalles...

Il paraît que, dessous son gros habit de bure,
Elle porte coquettement des bas de soi',
Festons, frivolités, fanfreluches, guipures,
Enfin tout ce qu'il faut pour que le diable y soit.
Et les enfants de chœur ont des pensées impures...

Il paraît que le soir, en voici bien d'une autre !
A l'heure où ses consœurs sont sagement couché's
Ou débitent pieusement des patenôtres,
Elle se déshabille devant sa psyché.
Et les enfants de chœur ont la fièvre, les pauvres...

Il paraît qu'à loisir elle se mire nue,
De face, de profil, et même, hélas ! de dos,
Après avoir, sans gêne, accroché sa tenue
Aux branches de la croix comme au portemanteau.
Chez les enfants de chœur le malin s'insinue...

Il paraît que, levant au ciel un œil complice,
Ell' dit : « Bravo, Seigneur, c'est du joli travail ! »
Puis qu'elle ajoute avec encor plus de malice :

« La cambrure des reins, ça, c'est une trouvaille ! »
Et les enfants de chœur souffrent un vrai supplice...

Il paraît qu'à minuit, bonne mère, c'est pire :
On entend se mêler, dans d'étranges accords,
La voix énamouré' des anges qui soupirent
Et celle de la sœur criant « Encor ! Encor ! »
Et les enfants de chœur, les malheureux transpirent...

Et monsieur le curé, que ces bruits turlupinent,
Se dit avec raison que le brave Jésus
Avec sa tête, hélas ! déjà chargé' d'épines,
N'a certes pas besoin d'autre chose dessus.
Et les enfants de chœur, branlant du chef, opinent...

Tout ça, c'est des faux bruits, des ragots, des sornettes,
De basses calomni's par Satan répandu's.
Pas plus d'accroche-cœurs sous la blanche cornette
Que de queu' de cheval, mais un crâne tondu.
Et les enfants de chœur en font, une binette...

Pas de troubles penchants dans ce cœur rigoriste,
Sous cet austère habit pas de rubans suspects.
On ne verra jamais la corne au front du Christ,
Le veinard sur sa croix peut s'endormir en paix,
Et les enfants de chœur se masturber, tout tristes...

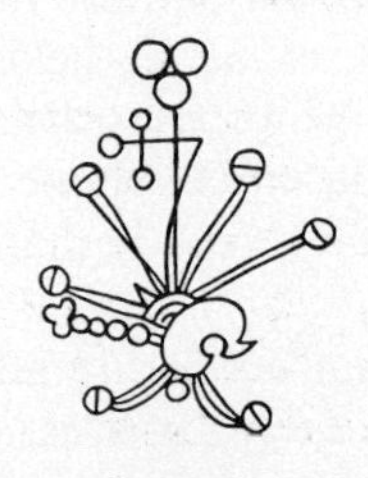

Pensée des morts

Poème d'Alphonse de Lamartine.

Voilà les feuilles sans sève
Qui tombent sur le gazon,
Voilà le vent qui s'élève
Et gémit dans le vallon,
Voilà l'errante hirondelle
Qui rase du bout de l'aile
L'eau dormante des marais,
Voilà l'enfant des chaumières
Qui glane sur les bruyères
Le bois tombé des forêts.

...

C'est la saison où tout tombe
Aux coups redoublés des vents;
Un vent qui vient de la tombe
Moissonne aussi les vivants :
Ils tombent alors par mille,
Comme la plume inutile
Que l'aigle abandonne aux airs,
Lorsque des plumes nouvelles
Viennent réchauffer ses ailes
A l'approche des hivers.

C'est alors que ma paupière
Vous vit pâlir et mourir,
Tendres fruits qu'à la lumière
Dieu n'a pas laissés mûrir !
Quoique jeune sur la terre,
Je suis déjà solitaire
Parmi ceux de ma saison,

Et quand je dis en moi-même :
« Où sont ceux que ton cœur aime ? »
Je regarde le gazon.

...

C'est un ami de l'enfance,
Qu'aux jours sombres du malheur
Nous prêta la Providence
Pour appuyer notre cœur ;
Il n'est plus ; notre âme est veuve,
Il nous suit dans notre épreuve
Et nous dit avec pitié :
« Ami, si ton âme est pleine,
De ta joie ou de ta peine
Qui portera la moitié ? »

C'est une jeune fiancée
Qui, le front ceint du bandeau,
N'emporta qu'une pensée
De sa jeunesse au tombeau ;
Triste, hélas ! dans le ciel même,
Pour revoir celui qu'elle aime
Elle revient sur ses pas,
Et lui dit : « Ma tombe est verte !
Sur cette terre déserte
Qu'attends-tu ? je n'y suis pas ! »

C'est l'ombre pâle d'un père
Qui mourut en nous nommant ;
C'est une sœur, c'est un frère,
Qui nous devance un moment,
Tous ceux enfin dont la vie
Un jour ou l'autrc ravie,
Emporte une part de nous,

Murmurent* sous la pierre :
« Vous qui voyez la lumière,
De nous vous souvenez-vous ? »

...

Voilà les feuilles sans sève
Qui tombent sur le gazon,
Voilà le vent qui s'élève
Et gémit dans le vallon,
Voilà l'errante hirondelle
Qui rase du bout de l'aile
L'eau dormante des marais,
Voilà l'enfant des chaumières
Qui glane sur les bruyères
Le bois tombé des forêts.

La rose, la bouteille et la poignée de main

Cette rose avait glissé de
La gerbe qu'un héros gâteux
Portait au monument aux Morts.
Comme tous les gens levaient leurs
Yeux pour voir hisser les couleurs,
Je la recueillis sans remords.

Et je repris ma route et m'en allai quérir,
Au p'tit bonheur la chance, un corsage à fleurir.
Car c'est une des pir's perversions qui soient
Que de garder une rose par-devers soi.

* *Variante G.B.* : Semblent dire.

La première à qui je l'offris
Tourna la tête avec mépris,
La deuxième s'enfuit et court
Encore en criant « Au secours ! »
Si la troisième m'a donné
Un coup d'ombrelle sur le nez,
La quatrièm', c'est plus méchant,
Se mit en quête d'un agent.

Car, aujourd'hui, c'est saugrenu,
Sans être louche, on ne peut pas
Fleurir de belles inconnu's.
On est tombé bien bas, bien bas...

Et ce pauvre petit bouton
De rose a fleuri le veston
D'un vague chien de commissaire,
Quelle misère !

Cette bouteille était tombé'
De la soutane d'un abbé
Sortant de la messe ivre mort.
Une bouteille de vin fin
Millésimé, béni, divin,
Je la recueillis sans remords.

Et je repris ma route en cherchant, plein d'espoir
Un brave gosier sec pour m'aider à la boire.
Car c'est une des pir's perversions qui soient
Que de garder du vin béni par-devers soi.

Le premier refusa mon verre
En me lorgnant d'un œil sévère,
Le deuxième m'a dit, railleur,
De m'en aller cuver ailleurs.
Si le troisième, sans retard,

Au nez m'a jeté le nectar,
Le quatrièm', c'est plus méchant,
Se mit en quête d'un agent.

Car, aujourd'hui, c'est saugrenu,
Sans être louche, on ne peut pas
Trinquer avec des inconnus.
On est tombé bien bas, bien bas...

Avec la bouteille de vin
Millésimé, béni, divin,
Les flics se sont rincé la dalle,
Un vrai scandale !

Cette pauvre poigné' de main
Gisait, oubliée, en chemin,
Par deux amis fâchés à mort.
Quelque peu décontenancé',
Elle était là, dans le fossé.
Je la recueillis sans remords.

Et je repris ma route avec l'intention
De faire circuler la virile effusion,
Car c'est une des pir's perversions qui soient
Qu' de garder une poigné' de main par-devers soi.

Le premier m'a dit : « Fous le camp !
J'aurais peur de salir mes gants. »
Le deuxième, d'un air dévot,
Me donna cent sous, d'ailleurs faux.
Si le troisième, ours mal léché,
Dans ma main tendue a craché,
Le quatrièm', c'est plus méchant,
Se mit en quête d'un agent.

Car, aujourd'hui, c'est saugrenu,
Sans être louche, on ne peut pas

Serrer la main des inconnus.
On est tombé bien bas, bien bas...

Et la pauvre poigné' de main,
Victime d'un sort inhumain,
Alla terminer sa carrière
A la fourrière !

Sale petit bonhomme

Sale petit bonhomme, il ne portait plus d'ailes,
Plus de bandeau sur l'œil et, d'un huissier modèle,
Arborait les sombres habits.
Dès qu'il avait connu le krach, la banqueroute
De nos affair's de cœur, il s'était mis en route
Pour recouvrer tout son fourbi.

Pas plus tôt descendu de sa noire calèche,
Il nous a dit : « Je viens récupérer mes flèches
Maintenant pour vous superflu's. »
Sans une ombre de peine ou de mélancolie,
On l'a vu remballer la vaine panoplie
Des amoureux qui ne jouent plus.

Avisant, oublié', la pauvre marguerite
Qu'on avait effeuillé', jadis, selon le rite,
Quand on s'aimait un peu, beaucoup,
L'un après l'autre, en place, il remit les pétales ;
La veille encore, on aurait crié au scandale,
On lui aurait tordu le cou.

Il brûla nos trophé's, il brûla nos reliques,
Nos gages, nos portraits, nos lettres idylliques,

Bien belle fut la part du feu.
Et je n'ai pas bronché, pas eu la mort dans l'âme,
Quand, avec tout le reste, il passa par les flammes
Une boucle de vos cheveux.

Enfin, pour bien montrer qu'il faisait table rase,
Il effaça du mur l'indélébile phrase :
« Paul est épris de Virginie. »
De Virgini', d'Hortense ou bien de Caroline,
J'oubli' presque toujours le nom de l'héroïne
Quand la comédie est finie.

« Faut voir à pas confondre amour et bagatelle,
A pas trop mélanger la rose et l'immortelle,
Qu'il nous a dit en se sauvant,
A pas traiter comme une affaire capitale
Une petite fantaisi' sentimentale,
Plus de crédit dorénavant. »

Ma mi', ne prenez pas ma complainte au tragique.
Les raisons qui, ce soir, m'ont rendu nostalgique,
Sont les moins nobles des raisons,
Et j'aurais sans nul doute enterré cette histoire
Si, pour renouveler un peu mon répertoire
Je n'avais besoin de chansons.

Disque 11

Face 1

Fernande
Stances à un cambrioleur
La ballade des gens qui sont nés quelque part
La princesse et le croque-notes
Sauf le respect que je vous dois
Le blason

Face 2

Mourir pour des idées
Quatre-vingt-quinze pour cent
Les passantes
Le roi
A l'ombre des maris

(1972)

Fernande

Une mani' de vieux garçon,
Moi, j'ai pris l'habitude
D'agrémenter ma solitude
Aux accents de cette chanson :

Refrain

Quand je pense à Fernande,
Je bande, je bande,
Quand j' pense à Félici',
Je bande aussi,
Quand j' pense à Léonore,
Mon Dieu, je bande encore,
Mais quand j' pense à Lulu,
Là, je ne bande plus.
La bandaison, papa,
Ça n' se commande pas.

C'est cette mâle ritournelle,
Cette antienne virile,
Qui retentit dans la guérite
De la vaillante sentinelle :

Afin de tromper son cafard,
De voir la vi' moins terne,

Tout en veillant sur sa lanterne,
Chante ainsi le gardien de phar' :

Après la prière du soir,
Comme il est un peu triste,
Chante ainsi le séminariste
A genoux sur son reposoir :

A l'Étoile où j'étais venu
Pour ranimer la flamme,
J'entendis, ému jusqu'aux larmes,
La voix du Soldat inconnu :

Et je vais mettre un point final
A ce chant salutaire,
En suggérant aux solitaires
D'en faire un hymne national.

Stances à un cambrioleur

Prince des monte-en-l'air et de la cambriole,
Toi, qui eus le bon goût de choisir ma maison,
Cependant que je colportais mes gaudrioles,
En ton honneur j'ai composé cette chanson.

Sache que j'apprécie à sa valeur le geste
Qui te fit bien fermer la porte en repartant
De peur que des rôdeurs n'emportassent le reste,
Les voleurs comme il faut, c'est rare de ce temps.

Tu ne m'as dérobé que le strict nécessaire,
Délaissant, dédaigneux, l'exécrable portrait

Que l'on m'avait offert à mon anniversaire,
Quel bon critique d'art, mon salaud, tu ferais !

Autre signe indiquant toute absence de tare,
Respectueux du brave travailleur, tu n'as
Pas cru décent de me priver de ma guitare,
Solidarité sainte de l'artisanat.

Pour toutes ces raisons, vois-tu, je te pardonne
Sans arrière-pensée après mûr examen,
Ce que tu m'as volé, mon vieux, je te le donne,
Ça pouvait pas tomber en de meilleures mains.

D'ailleurs, moi qui te parle, avec mes chansonnettes,
Si je n'avais pas dû rencontrer le succès,
J'aurais, tout comme toi, pu virer malhonnête,
Je serais devenu ton complice, qui sait ?

En vendant ton butin, prends garde au marchandage,
Ne va pas tout lâcher en solde aux receleurs,
Tiens-leur la dragée haute en évoquant l'adage
Qui dit que ces gens-là sont pis que les voleurs.

Fort de ce que je n'ai pas sonné les gendarmes,
Ne te crois pas du tout tenu de revenir,
Ta moindre récidive abolirait le charme,
Laisse-moi, je t'en pri', sur un bon souvenir.

Monte-en-l'air, mon ami, que mon bien te profite,
Que Mercure te préserve de la prison,
Et pas trop de remords, d'ailleurs, nous sommes quittes,
Après tout ne te dois-je pas une chanson ?

Post-scriptum. Si le vol est l'art que tu préfères,
Ta seule vocation, ton unique talent,
Prends donc pignon sur ru', mets-toi dans les affaires,
Et tu auras les flics même comme chalands.

La ballade des gens qui sont nés quelque part

C'est vrai qu'ils sont plaisants, tous ces petits villages,
Tous ces bourgs, ces hameaux, ces lieux-dits, ces cités,
Avec leurs châteaux forts, leurs églises, leurs plages,
Ils n'ont qu'un seul point faible et c'est d'être habités,
Et c'est d'être habités par des gens qui regardent
Le reste avec mépris du haut de leurs remparts,
La race des chauvins, des porteurs de cocardes,
Les imbécil's heureux qui sont nés quelque part. *(bis)*

Maudits soient ces enfants de leur mère patrie
Empalés une fois pour tout's sur leur clocher,
Qui vous montrent leurs tours, leurs musé's, leur mairie,
Vous font voir du pays natal jusqu'à loucher.
Qu'ils sortent de Paris, ou de Rome, ou de Sète,
Ou du diable vauvert ou bien de Zanzibar,
Ou même de Montcuq, ils s'en flattent, mazette,
Les imbécil's heureux qui sont nés quelque part. *(bis)*

Le sable dans lequel, douillettes, leurs autruches
Enfouissent la tête, on trouve pas plus fin,
Quant à l'air qu'ils emploient pour gonfler leurs
[baudruches,
Leurs bulles de savon, c'est du souffle divin.
Et, petit à petit, les voilà qui se montent
Le cou jusqu'à penser que le crottin fait par
Leurs chevaux, même en bois, rend jaloux tout le monde,
Les imbécil's heureux qui sont nés quelque part. *(bis)*

C'est pas un lieu commun celui de leur naissance,
Ils plaignent de tout cœur les pauvres malchanceux,
Les petits maladroits qui n'eur'nt pas la présence,

La présence d'esprit de voir le jour chez eux.
Quand sonne le tocsin sur leur bonheur précaire,
Contre les étrangers tous plus ou moins barbares,
Ils sortent de leur trou pour mourir à la guerre,
Les imbécil's heureux qui sont nés quelque part. *(bis)*

Mon Dieu, qu'il ferait bon sur la terre des hommes
Si l'on n'y rencontrait cette race incongru',
Cette race importune et qui partout foisonne :
La race des gens du terroir, des gens du cru.
Que la vi' serait belle en toutes circonstances
Si vous n'aviez tiré du néant ces jobards,
Preuve, peut-être bien, de votre inexistence :
Les imbécil's heureux qui sont nés quelque part. *(bis)*

La princesse et le croque-notes

Jadis, au lieu du jardin que voici,
C'était la zone et tout ce qui s'ensuit,
Des masures, des taudis insolites,
Des ruines pas romaines pour un sou.
Quant à la faune habitant là-dessous
C'était la fine fleur, c'était l'élite.

La fine fleur, l'élite du pavé,
Des besogneux, des gueux, des réprouvés,
Des mendiants rivalisant de tares,
Des chevaux de retour, des propre'-à-rien,
Ainsi qu'un croque-notes, un musicien,
Une épave accrochée à sa guitare.

Adopté' par ce beau monde attendri,
Une petite fée avait fleuri

Au milieu de toute cette bassesse.
Comme on l'avait trouvé' près du ruisseau,
Abandonnée en un somptueux berceau,
A tout hasard on l'appelait « princesse ».

Or, un soir, Dieu du ciel, protégez-nous !
La voilà qui monte sur les genoux
Du croque-notes et doucement soupire,
En rougissant quand même un petit peu :
« C'est toi que j'aime et, si tu veux, tu peux
M'embrasser sur la bouche et même pire... »

« — Tout beau, princesse, arrête un peu ton tir,
J'ai pas tell'ment l'étoffe du satyr'.
Tu as treize ans, j'en ai trente qui sonnent,
Gross' différence et je ne suis pas chaud
Pour tâter d' la paill' humid' du cachot...
— Mais, croque-not's, j' dirai rien à personne... »

« — N'insiste pas, fit-il d'un ton railleur,
D'abord, tu n'es pas mon genre, et d'ailleurs
Mon cœur est déjà pris par une grande... »
Alors princesse est partie en courant,
Alors princesse est partie en pleurant,
Chagrine qu'on ait boudé son offrande.

Y' a pas eu détournement de mineure,
Le croque-notes au matin, de bonne heure,
A l'anglaise a filé dans la charrette
Des chiffonniers en grattant sa guitare.
Passant par là, quelque vingt ans plus tard,
Il a le sentiment qu'il le regrette.

Sauf le respect que je vous dois

Si vous y tenez tant, parlez-moi des affair's publiques,
Encor que ce sujet me rende un peu mélancolique,
Parlez-m'en toujours, je n' vous en tiendrai pas rigueur...
Parlez-moi d'amour et j' vous fous mon poing sur la
[gueule,
Sauf le respect que je vous dois.

Fi des chantres bêlants qui taquin'nt la muse érotique,
Des poètes galants qui lèchent le cul d'Aphrodite,
Des auteurs courtois qui vont en se frappant le cœur...
Parlez-moi d'amour et j' vous fous mon poing sur la
[gueule,
Sauf le respect que je vous dois.

Naguère, mes idé's reposaient sur la non-violence,
Mon agressivité, je l'avais réduite au silence,
Mais tout tourne court, ma compagne était une gueuse...
Parlez-moi d'amour et j' vous fous mon poing sur la
[gueule,
Sauf le respect que je vous dois.

Ancienne enfant trouvé' n'ayant connu père ni mère,
Coiffé' d'un chap'ron rouge ell' s'en fut, ironie amère,
Porter soi-disant une galette à son aïeule...
Parlez-moi d'amour et j' vous fous mon poing sur la
[gueule,
Sauf le respect que je vous dois.

Je l'attendis un soir, je l'attendis jusqu'à l'aurore,
Je l'attendis un an, pour peu je l'attendrais encore,
Un loup de rencontre aura séduit cette fugueuse...

Parlez-moi d'amour et j' vous fous mon poing sur la
[gueule,
Sauf le respect que je vous dois.

Cupidon, ce salaud, geste qui chez lui n'est pas rare,
Avait trempé sa flèche un petit peu dans le curare,
Le philtre magique avait tout du bouillon d'onze heures...
Parlez-moi d'amour et j' vous fous mon poing sur la
[gueule,
Sauf le respect que je vous dois.

Ainsi qu'il est fréquent, sous la blancheur de ses pétales,
La marguerite cachait une tarentule, un crotale,
Une vrai' vipère à la fois lubrique et visqueuse...
Parlez-moi d'amour et j' vous fous mon poing sur la
[gueule,
Sauf le respect que je vous dois.

Que le septième ciel sur ma pauvre tête retombe!
Lorsque le désespoir m'aura mis au bord de la tombe,
Cet ultime discours s'exhalera de mon linceul :
Parlez-moi d'amour et j' vous fous mon poing sur la
[gueule,
Sauf le respect que je vous dois.

Le blason

Ayant avecques lui toujours fait bon ménage,
J'eusse aimé célébrer, sans être inconvenant,
Tendre corps féminin, ton plus bel apanage,
Que tous ceux qui l'ont vu disent hallucinant.

Ç'eût été mon ultime chant, mon chant du cygne,
Mon dernier billet doux, mon message d'adieu.
Or, malheureusement, les mots qui le désignent
Le disputent à l'exécrable, à l'odieux.

C'est la grande pitié de la langue française,
C'est son talon d'Achille et c'est son déshonneur,
De n'offrir que des mots entachés de bassesse
A cet incomparable instrument de bonheur.

Alors que tant de fleurs ont des noms poétiques,
Tendre corps féminin, c'est fort malencontreux
Que ta fleur la plus douce et la plus érotique
Et la plus enivrante en ait un si scabreux.

Mais le pire de tous est un petit vocable
De trois lettres, pas plus, familier, coutumier,
Il est inexplicable, il est irrévocable,
Honte à celui-là qui l'employa le premier.

Honte à celui-là qui, par dépit, par gageure,
Dota du même terme, en son fiel venimeux,
Ce grand ami de l'homme et la cinglante injure,
Celui-là, c'est probable, en était un fameux.

Misogyne à coup sûr, asexué sans doute,
Au charme de Vénus absolument rétif,
Était ce bougre qui, tout honte bu', toute,
Fit ce rapprochement, d'ailleurs intempestif.

La male peste soit de cette homonymie !
C'est injuste, madame, et c'est désobligeant
Que ce morceau de roi de votre anatomie
Porte le même nom qu'une foule de gens.

Fasse le ciel qu'un jour, dans un trait de génie,
Un poète inspiré, que Pégase soutient,
Donne, effaçant d'un coup des siècles d'avanie,
A cette vrai' merveille un joli nom chrétien.

En attendant, madame, il semblerait dommage,
Et vos adorateurs en seraient tous peinés,
D'aller perdre de vu' que, pour lui rendre hommage,
Il est d'autres moyens et que je les connais,
Et que je les connais.

Mourir pour des idées

Mourir pour des idé's, l'idée est excellente.
Moi, j'ai failli mourir de ne l'avoir pas eu',
Car tous ceux qui l'avaient, multitude accablante,
En hurlant à la mort me sont tombés dessus.
Ils ont su me convaincre et ma muse insolente,
Abjurant ses erreurs, se rallie à leur foi
Avec un soupçon de réserve toutefois :
Mourons pour des idées, d'accord, mais de mort lente,
D'accord, mais de mort lente.

Jugeant qu'il n'y a pas péril en la demeure,
Allons vers l'autre monde en flânant en chemin
Car, à forcer l'allure, il arrive qu'on meure
Pour des idé's n'ayant plus cours le lendemain.

Or, s'il est une chose amère, désolante,
En rendant l'âme à Dieu c'est bien de constater
Qu'on a fait fausse rout', qu'on s'est trompé d'idé',
Mourons pour des idées, d'accord, mais de mort lente,
D'accord, mais de mort lente.

Les saints Jean Bouche d'or qui prêchent le martyre,
Le plus souvent, d'ailleurs, s'attardent ici-bas.
Mourir pour des idé's, c'est le cas de le dire,
C'est leur raison de vivre, ils ne s'en privent pas.
Dans presque tous les camps on en voit qui supplantent
Bientôt Mathusalem dans la longévité.
J'en conclus qu'ils doivent se dire, en aparté :
« Mourons pour des idées, d'accord, mais de mort lente,
D'accord, mais de mort lente. »

Des idé's réclamant le fameux sacrifice,
Les sectes de tout poil en offrent des séquelles,
Et la question se pose aux victimes novices :
Mourir pour des idé's, c'est bien beau, mais lesquelles ?
Et comme toutes sont entre elles ressemblantes,
Quand il les voit venir, avec leur gros drapeau,
Le sage, en hésitant, tourne autour du tombeau.
Mourons pour des idées, d'accord, mais de mort lente,
D'accord, mais de mort lente.

Encor s'il suffisait de quelques hécatombes
Pour qu'enfin tout changeât, qu'enfin tout s'arrangeât !
Depuis tant de « grands soirs » que tant de têtes tombent,
Au paradis sur terre on y serait déjà.
Mais l'âge d'or sans cesse est remis aux calendes,
Les dieux ont toujours soif, n'en ont jamais assez,
Et c'est la mort, la mort toujours recommencé'...
Mourons pour des idées, d'accord, mais de mort lente,
D'accord, mais de mort lente.

Ô vous, les boutefeux, ô vous, les bons apôtres,
Mourez donc les premiers, nous vous cédons le pas.
Mais, de grâce, morbleu ! laissez vivre les autres !
La vie est à peu près leur seul luxe ici-bas ;
Car, enfin, la Camarde est assez vigilante,
Elle n'a pas besoin qu'on lui tienne la faux.
Plus de danse macabre autour des échafauds !
Mourons pour des idées, d'accord, mais de mort lente,
D'accord, mais de mort lente.

Quatre-vingt-quinze pour cent

La femme qui possède tout en elle
Pour donner le goût des fêtes charnelles,
La femme qui suscite en nous tant de passion brutale,
La femme est avant tout sentimentale.
Main dans la main les longues promenades,
Les fleurs, les billets doux, les sérénades,
Les crimes, les foli's que pour ses beaux yeux l'on commet
La transportent, mais...

Refrain

Quatre-vingt-quinze fois sur cent,
La femme s'emmerde en baisant.
Qu'elle le taise ou le confesse
C'est pas tous les jours qu'on lui déride les fesses.
Les pauvres bougres convaincus
Du contraire sont des cocus.
A l'heure de l'œuvre de chair
Elle est souvent triste, peuchèr' !
S'il n'entend le cœur qui bat,
Le corps non plus ne bronche pas.

Sauf quand elle aime un homme avec tendresse,
Toujours sensible alors à ses caresses,
Toujours bien disposé', toujours encline à s'émouvoir,
Ell' s'emmerd' sans s'en apercevoir.
Ou quand elle a des besoins tyranniques,
Qu'elle souffre de nymphomani' chronique,
C'est ell' qui fait alors passer à ses adorateurs
De fichus quarts d'heure.

Les « encore », les « c'est bon », les « continue »
Qu'ell' cri' pour simuler qu'ell' monte aux nues,
C'est pure charité, les soupirs des anges ne sont
En général que de pieux menson(ges).
C'est à seule fin que son partenaire
Se croie un amant extraordinaire,
Que le coq imbécile et prétentieux perché dessus
Ne soit pas déçu.

J'entends aller bon train les commentaires
De ceux qui font des châteaux à Cythère :
« C'est parce que tu n'es qu'un malhabile, un maladroit,
Qu'elle conserve toujours son sang-froid. »
Peut-être, mais si les assauts vous pèsent
De ces petits m'as-tu-vu-quand-je baise,
Mesdam's en vous laissant manger le plaisir sur le dos,
Chantez *in petto*...

Les passantes

Poème de Antoine Pol.

Je veux dédier ce poème
A toutes les femmes qu'on aime
Pendant quelques instants secrets,
A celles qu'on connaît à peine,
Qu'un destin différent entraîne
Et qu'on ne retrouve jamais.

...

A celle qu'on voit apparaître
Une seconde, à la* fenêtre,
Et qui, preste, s'évanouit,
Mais dont la svelte silhouette
Est si gracieuse et fluette
Qu'on en demeure épanoui.

A la compagne de voyage
Dont les yeux, charmant paysage,
Font paraître court le chemin;
Qu'on est seul peut-être à comprendre,
Et qu'on laisse pourtant descendre
Sans avoir effleuré sa** main.

...

A celles qui sont déjà prises,
Et qui vivant des heures grises

Variantes G.B. :
* sa.
** la.

Près d'un être trop différent,
Vous ont, inutile folie,
Laissé voir la mélancolie
D'un avenir désespérant.

Chères images aperçues
Espérances d'un jour déçues,
Vous serez dans l'oubli demain ;
Pour peu que le bonheur survienne,
Il est rare qu'on se souvienne
Des épisodes du chemin.

Mais si l'on a manqué sa vie,
On songe, avec un peu d'envie
A tous ces bonheurs entrevus,
*Aux cœurs qui doivent vous attendre,
*Aux baisers qu'on n'osa pas prendre,
Aux yeux qu'on n'a jamais revus.

Alors, aux soirs de lassitude,
Tout en peuplant sa solitude
Des fantômes du souvenir,
On pleure les lèvres absentes
De toutes les** belles passantes
Que l'on n'a pas su retenir.

Variantes G.B. :
* vers intervertis.
** ces.

Le roi

Non, certe', elle n'est pas bâtie,
Non, certe', elle n'est pas bâtie,
Sur du sable, sa dynastie,
Sur du sable, sa dynastie.

Il y a peu de chances qu'on
Détrône le roi des cons.

Il peut dormir, ce souverain,
Il peut dormir, ce souverain,
Sur ses deux oreilles, serein,
Sur ses deux oreilles, serein.

Il y a peu de chances qu'on
Détrône le roi des cons.

Je, tu, il, elle, nous, vous, ils,
Je, tu, il, elle, nous, vous, ils,
Tout le monde le suit, docil'
Tout le monde le suit, docil'.

Il y a peu de chances qu'on
Détrône le roi des cons.

Il est possible, au demeurant,
Il est possible, au demeurant,
Qu'on déloge le shah d'Iran,
Qu'on déloge le shah d'Iran.

Mais il y' a peu de chances qu'on
Détrône le roi des cons.

Qu'un jour on dise : « C'est fini »,
Qu'un jour on dise : « C'est fini »,
Au petit roi de Jordani',
Au petit roi de Jordani'.

Mais il y' a peu de chances qu'on
Détrône le roi des cons.

Qu'en Abyssinie on récus',
Qu'en Abyssinie on récus',
Le roi des rois, le bon Négus,
Le roi des rois, le bon Négus.

Mais il y' a peu de chances qu'on
Détrône le roi des cons.

Que, sur un air de fandango,
Que, sur un air de fandango,
On congédi' le vieux Franco,
On congédi' le vieux Franco.

Mais il y' a peu de chances qu'on
Détrône le roi des cons.

Que la couronne d'Angleterre,
Que la couronne d'Angleterre,
Ce soir, demain, roule par terre,
Ce soir, demain, roule par terre.

Mais il y' a peu de chances qu'on
Détrône le roi des cons.

Que, ça s'est vu dans le passé,
Que, ça s'est vu dans le passé,
Marianne soit renversé'
Marianne soit renversée.

Mais il y' a peu de chances qu'on
Détrône le roi des cons.

A l'ombre des maris

Les dragons de vertu n'en prennent pas ombrage,
Si j'avais eu l'honneur de commander à bord,
A bord du *Titanic* quand il a fait naufrage,
J'aurais crié : « Les femm's adultères d'abord ! »

Ne jetez pas la pierre à la femme adultère,
Je suis derrière...

Car, pour combler les vœux, calmer la fièvre ardente
Du pauvre solitaire et qui n'est pas de bois,
Nulle n'est comparable à l'épouse inconstante.
Femmes de chefs de gar', c'est vous la fleur des
[pois.

Ne jetez pas la pierre à la femme adultère,
Je suis derrière...

Quant à vous, messeigneurs, aimez à votre guise,
En ce qui me concerne, ayant un jour compris
Qu'une femme adultère est plus qu'une autre
[exquise,
Je cherche mon bonheur à l'ombre des maris.

Ne jetez pas la pierre à la femme adultère,
Je suis derrière...

A l'ombre des maris mais, cela va sans dire,
Pas n'importe lesquels, je les tri', les choisis.
Si madame Dupont, d'aventure, m'attire,
Il faut que, par surcroît, Dupont me plaise aussi !

Ne jetez pas la pierre à la femme adultère,
Je suis derrière...

Il convient que le bougre ait une bonne poire
Sinon, me ravisant, je détale à grands pas,
Car je suis difficile et me refuse à boire
Dans le verr' d'un monsieur qui ne me revient pas.

Ne jetez pas la pierre à la femme adultère,
Je suis derrière...

Ils sont loin mes débuts où, manquant de pratique,
Sur des femmes de flics je mis mon dévolu.
Je n'étais pas encore ouvert à l'esthétique.
Cette faute de goût je ne la commets plus.

Ne jetez pas la pierre à la femme adultère,
Je suis derrière...

Oui, je suis tatillon, pointilleux, mais j'estime
Que le mari doit être un gentleman complet,
Car on finit tous deux par devenir intimes
A force, à force de se passer le relais.

Ne jetez pas la pierre à la femme adultère,
Je suis derrière...

Mais si l'on tombe, hélas ! sur des maris infâmes,
Certains sont si courtois, si bons, si chaleureux,
Que, même après avoir cessé d'aimer leur femme,
On fait encor semblant uniquement pour eux.

Ne jetez pas la pierre à la femme adultère,
Je suis derrière...

C'est mon cas ces temps-ci, je suis triste, malade,
Quand je dois faire honneur à certaine pécore.
Mais, son mari et moi, c'est Oreste et Pylade,
Et, pour garder l'ami, je la cajole encore.

Ne jetez pas la pierre à la femme adultère,
Je suis derrière...

Non contente de me déplaire, elle me trompe,
Et les jours où, furieux, voulant tout mettre à bas,
Je cri' : « La coupe est pleine, il est temps que je rompe ! »
Le mari me suppli' : « Non, ne me quittez pas ! »

Ne jetez pas la pierre à la femme adultère,
Je suis derrière...

Et je reste, et, tous deux, ensemble, on se flagorne.
Moi, je lui dis : « C'est vous mon cocu préféré. »
Il me réplique alors : « Entre toutes mes cornes,
Celles que je vous dois, mon cher, me sont sacré's. »

Ne jetez pas la pierre à la femme adultère,
Je suis derrière...

Et je reste et, parfois, lorsque cette pimbêche
S'attarde en compagni' de son nouvel amant,
Que la nurse est sorti', le mari à la pêche,
C'est moi, pauvre de moi ! qui garde les enfants.

Ne jetez pas la pierre à la femme adultère.

Disque 12

Face 1

Trompe la mort
Les ricochets
Tempête dans un bénitier
Boulevard du temps qui passe
Le modeste
Don Juan
Les casseuses

Face 2

Cupidon s'en fout
Montélimar
Histoire de faussaire
La messe au pendu
Lèche-cocu
Les patriotes
Mélanie

(1976)

Trompe la mort

Avec cette neige à foison
Qui coiffe, coiffe ma toison,
On peut me croire à vue de nez
Blanchi sous le harnais.
Eh bien, Mesdames et Messieurs,
C'est rien que de la poudre aux yeux,
C'est rien que de la comédie,
Que de la parodie.
C'est pour tenter de couper court
A l'avance du temps qui court,
De persuader ce vieux goujat
Que tout le mal est fait déjà.
Mais dessous la perruque j'ai
Mes vrais cheveux couleur de jais.
C'est pas demain la veille, bon Dieu !
De mes adieux.

Et si j'ai l'air moins guilleret,
Moins solide sur mes jarrets,
Si je chemine avec lenteur
D'un train de sénateur,
N'allez pas dire « Il est perclus »
N'allez pas dire « Il n'en peut plus ».
C'est rien que de la comédie,
Que de la parodie.
Histoire d'endormir le temps,

Calculateur impénitent,
De tout brouiller, tout embrouiller
Dans le fatidique sablier.
En fait, à l'envers du décor,
Comme à vingt ans, je trotte encore.
C'est pas demain la veille, bon Dieu !
De mes adieux.

Et si mon cœur bat moins souvent
Et moins vite qu'auparavant,
Si je chasse avec moins de zèle
Les gentes demoiselles,
Pensez pas que je sois blasé
De leurs caresses, leurs baisers,
C'est rien que de la comédie,
Que de la parodie.
Pour convaincre le temps berné
Qu'mes fêtes galantes sont terminées,
Que je me retire en coulisse,
Que je n'entrerai plus en lice.
Mais je reste un sacré gaillard
Toujours actif, toujours paillard.
C'est pas demain la veille, bon Dieu!
De mes adieux.

Et si jamais au cimetière,
Un de ces quatre, on porte en terre,
Me ressemblant à s'y tromper,
Un genre de macchabée,
N'allez pas noyer le souffleur
En lâchant la bonde à vos pleurs,
Ce sera rien que comédie
Rien que fausse sortie.
Et puis, coup de théâtre, quand
Le temps aura levé le camp,
Estimant que la farce est jouée,

Moi tout heureux, tout enjoué,
J' m'exhumerai du caveau
Pour saluer sous les bravos.
C'est pas demain la veille, bon Dieu !
De mes adieux.

Les ricochets

J'avais dix-huit ans
Tout juste et quittant
Ma ville natale
Un beau jour, ô gué
Je vins débarquer
Dans la capitale
J'entrai pas aux cris
D'« A nous deux Paris »
En Ile-de-France
Que ton Rastignac
N'ait cure, ô Balzac !
De ma concurrence. *(bis)*

Gens en place, dormez
Sans vous alarmer,
Rien ne vous menace.
Ce n'est qu'un jeun' sot
Qui monte à l'assaut
Du p'tit Montparnasse.
On s'étonn'ra pas
Si mes premiers pas
Tout droit me menèrent
Au pont Mirabeau
Pour un coup d' chapeau
A l'Apollinaire. *(bis)*

Bec enfariné
Pouvais-je deviner
Le remue-ménage
Que dans mon destin
Causerait soudain
Ce pèlerinage ?
Que circonvenu
Mon cœur
Allait faire des siennes
Tomber amoureux
De sa toute pre-
mière Parisienne. *(bis)*

N'anticipons pas,
Sur la berge en bas
Tout contre une pile,
La belle tâchait
D' fair' des ricochets
D'un' main malhabile
Moi, dans ce temps-là —
Je n' dis pas cela
En bombant le torse,
L'air avantageux —
J'étais à ce jeu
De première force. *(bis)*

Tu m' donn's un baiser,
Ai-je proposé
A la demoiselle ;
Et moi, sans retard
J' t'apprends de cet art
Toutes les ficelles.
Affaire conclue,
En une heure, elle eut
L'adresse requise.

En échange, moi
J' cueillis plein d'émoi
Ses lèvres exquises. *(bis)*

Et durant un temps
— Les journaux d'antan
D'ailleurs le relatent —
Fallait se lever
Matin pour trouver
Une pierre plate.
On redessina
Du pont d'Iéna
Au pont Alexandre
Jusqu'à Saint-Michel,
Mais à notre échelle,
La carte du tendre. *(bis)*

Mais c'était trop beau :
Au pont Mirabeau
La belle volage
Un jour se perchait
Sur un ricochet
Et gagnait le large.
Ell' me fit faux-bond
Pour un vieux barbon,
La petite ingrate,
Un Crésus vivant
Détail aggravant
Sur la rive droite. *(bis)*

J'en pleurai pas mal,
Le flux lacrymal
Me fit la quinzaine.
Au viaduc d'Auteuil
Paraît qu'à vue d'œil
Grossissait la Seine.

Et si, pont d' l'Alma,
J'ai pas noyé ma
Détresse ineffable,
C'est qu' l'eau coulant sous
Les pieds du zouzou
Était imbuvable. *(bis)*

Et qu' j'avais acquis
Cett' conviction qui
Du reste me navre
Que mort ou vivant
Ce n'est pas souvent
Qu'on arrive au havre.
Nous attristons pas,
Allons de ce pas
Donner, débonnaires,
Au pont Mirabeau
Un coup de chapeau
A l'Apollinaire. *(bis)*

Tempête dans un bénitier

Tempête dans un bénitier,
Le souverain pontife avecque
Les évêques, les archevêques,
Nous font un satané chantier.

Ils ne savent pas ce qu'ils perdent,
Tous ces fichus calotins,
Sans le latin, sans le latin,
La messe nous emmerde.
A la fête liturgique,

Plus de grand's pompes, soudain,
Sans le latin, sans le latin,
Plus de mystère magique.
Le rite qui nous envoûte
S'avère alors anodin.
Sans le latin, sans le latin,
Et les fidèl's s'en foutent.
O très Sainte Marie mèr' de
Dieu, dites à ces putains
De moines qu'ils nous emmerdent
Sans le latin.

Je ne suis pas le seul, morbleu !
Depuis que ces règles sévissent,
A ne plus me rendre à l'office
Dominical que quand il pleut.

Ils ne savent pas ce qu'ils perdent,
Tous ces fichus calotins,
Sans le latin, sans le latin,
La messe nous emmerde.
En renonçant à l'occulte,
Faudra qu'ils fassent tintin
Sans le latin, sans le latin,
Pour le denier du culte.
A la saison printanière
Suisse, bedeau, sacristain.
Sans le latin, sans le latin,
F'ront l'églis' buissonnière,
Ô très Sainte Marie mèr' de
Dieu, dites à ces putains
De moines qu'ils nous emmerdent
Sans le latin.

Ces oiseaux sont des enragés,
Ces corbeaux qui scient, rognent tranchent

La saine et bonne vieille branche
De la croix où ils sont perchés.

Ils ne savent pas ce qu'ils perdent,
Tous ces fichus calotins,
Sans le latin, sans le latin,
La messe nous emmerde.
Le vin du sacré calice,
Se change en eau de boudin,
Sans le latin, sans le latin,
Et ses vertus faiblissent.
A Lourdes, Sète ou bien Parme
Comme à Quimper Corentin
Le presbytère sans le latin
A perdu de son charme.
Ô très Sainte Marie mèr' de
Dieu, dites à ces putains
De moines qu'ils nous emmerdent
Sans le latin.

(bis)

Boulevard du temps qui passe

A peine sortis du berceau,
Nous sommes allés faire un saut
Au boulevard du temps qui passe
En scandant notre « Ça ira »
Contre les vieux, les mous, les gras,
Confinés dans leurs idées basses.

On nous a vus, c'était hier
Qui descendions, jeunes et fiers,
Dans une folle sarabande
En allumant des feux de joie,

En alarmant les gros bourgeois
En piétinant leurs plates-bandes.

Jurant de tout remettre à neuf,
De refaire quatre-vingt-neuf,
De reprendre un peu la Bastille,
Nous avons embrassé, goulus,
Leurs femmes qu'ils ne touchaient plus,
Nous avons fécondé leurs filles.

Dans la mare de leurs canards
Nous avons lancé, goguenards,
Force pavés, quelle tempête !
Nous n'avons rien laissé debout,
Flanquant leurs credos, leurs tabous
Et leurs dieux, cul par-dessus tête.

Quand sonna le « cessez-le-feu »
L'un de nous perdait ses cheveux
Et l'autre avait les tempes grises.
Nous avons constaté soudain
Que l'été de la Saint-Martin
N'est pas loin du temps des cerises.

Alors, ralentissant le pas,
On fit la route à la papa,
Car, braillant contre les ancêtres,
La troupe fraîche des cadets
Au carrefour nous attendait
Pour nous envoyer à Bicêtre.

Tous ces gâteux, ces avachis,
Ces pauvres sépulcres blanchis
Chancelant dans leur carapace,
On les a vus, c'était hier,
Qui descendaient, jeunes et fiers,
Le boulevard du temps qui passe.

Le modeste

Les pays, c'est pas ça qui manque,
On vient au monde à Salamanque
A Paris, Bordeaux, Lille, Brest(e).
Lui, la nativité le prit
Du côté des Saintes-Maries,
C'est un modeste.

Comme jadis a fait un roi,
Il serait bien fichu, je crois,
De donner le trône et le reste
Contre un seul cheval camarguais
Bancal, vieux, borgne, fatigué,
C'est un modeste.

Suivi de son pin parasol,
S'il fuit sans mêm' toucher le sol
Le moindre effort comme la peste,
C'est qu'au chantier ses bras d'Hercule
Rendraient les autres ridicules,
C'est un modeste.

A la pétanque, quand il perd
Te fais pas de souci, pépère,
Si d'aventure il te conteste.
S'il te boude, s'il te rudoie,
Au fond, il est content pour toi,
C'est un modeste.

Si, quand un emmerdeur le met
En rogne, on ne le voit jamais
Lever sur l'homme une main leste.
C'est qu'il juge pas nécessaire
D'humilier un adversaire,
C'est un modeste.

Et quand il tombe amoureux fou
Y' a pas de danger qu'il l'avoue :
Les effusions, dame, il déteste.
Selon lui, mettre en plein soleil
Son cœur ou son cul c'est pareil,
C'est un modeste.

Quand on enterre un imbécile
De ses amis, s'il raille, s'il
A l'œil sec et ne manifeste
Aucun chagrin, t'y fie pas trop
Sur la patate, il en a gros,
C'est un modeste.

Et s'il te traite d'étranger
Que tu sois de Naples, d'Angers
Ou d'ailleurs, remets pas la veste.
Lui, quand il t'adopte, pardi !
Il veut pas que ce soit dit,
C'est un modeste.

Si tu n'as pas tout du grimaud,
Si tu sais lire entre les mots,
Entre les faits, entre les gestes,
Lors, tu verras clair dans son jeu,
Et que ce bel avantageux,
C'est un modeste.

Don Juan

Gloire à qui freine à mort de peur d'écrabouiller
Le hérisson perdu, le crapaud fourvoyé !
Et gloire à don Juan, d'avoir un jour souri
A celle à qui les autres n'attachaient aucun prix !
Cette fille est trop vilaine, il me la faut.

Gloire au flic qui barrait le passage aux autos
Pour laisser traverser les chats de Léautaud !
Et gloire à don Juan d'avoir pris rendez-vous,
Avec la délaissée, que l'amour désavoue !
Cette fille est trop vilaine, il me la faut.

Gloire au premier venu qui passe et qui se tait
Quand la canaille crie « haro sur le baudet » !
Et gloire à don Juan pour ses galants discours
A celle à qui les autres faisaient jamais la cour !
Cette fille est trop vilaine, il me la faut.

Et gloire à ce curé sauvant son ennemi
Lors du massacre de la Saint-Barthélemy !
Et gloire à don Juan qui couvrit de baisers
La fille que les autres refusaient d'embrasser !
Cette fille est trop vilaine, il me la faut.

Et gloire à ce soldat qui jeta son fusil
Plutôt que d'achever l'otage à sa merci !
Et gloire à don Juan d'avoir osé trousser
Celle dont le jupon restait toujours baissé !
Cette fille est trop vilaine, il me la faut.

Gloire à la bonne sœur qui, par temps pas très chaud,
Dégela dans sa main le pénis du manchot !
Et gloire à don Juan qui fit reluire un soir

Ce cul déshérité ne sachant que s'asseoir !
Cette fille est trop vilaine, il me la faut.

Gloire à qui n'ayant pas d'idéal sacro-saint
Se borne à ne pas trop emmerder ses voisins !
Et gloire à don Juan qui rendit femme celle
Qui, sans lui, quelle horreur ! serait morte pucelle !
Cette fille est trop vilaine, il me la faut.

Les casseuses

Tant qu'elle a besoin du matou,
Ma chatte est tendre comme tout,
Quand elle est comblée, aussitôt
Ell' griffe, ell' mord, ell' fait l'gros dos.

Refrain

Quand vous ne nous les caressez
Pas, chéries, vous nous les cassez.
Oubliez-les, si fair' se peut,
Qu'ell's se reposent.
Quand vous nous les dorlotez pas,
Vous nous les passez à tabac.
Oubliez-les, si fair' se peut,
Qu'ell's se reposent un peu,
Qu'ell's se reposent.

Enamourée, ma femme est douce,
Mes amis vous le diront tous.
Après l'étreinte, en moins de deux
Ell' r'devient un bâton merdeux. *(Au refrain.)*

Dans l'alcôve, on est bien reçus
Par la voisine du dessus.
Un' fois son désir assouvi,
Ingrate, ell' nous les crucifie. *(Au refrain.)*

Quand ell' passe en revue les zouaves
Ma sœur est câline et suave.
Dès que s'achève l'examen,
Gare à qui tombe sous sa main. *(Au refrain.)*

Si tout le monde en ma maison
Reste au lit plus que de raison,
C'est pas qu'on soit lubriqu's, c'est qu'il
Y a guère que là qu'on est tranquilles. *(Au refrain.)*

Cupidon s'en fout

Pour changer en amour notre amourette,
Il s'en serait pas fallu de beaucoup,
Mais, ce jour-là, Vénus était distraite,
Il est des jours où Cupidon s'en fout. *(bis)*

Des jours où il joue les mouches du coche.
Où, elles sont émoussées dans le bout,
Les flèches courtoises qu'il nous décoche,
Il est des jours où Cupidon s'en fout. *(bis)*

Se consacrant à d'autres imbéciles,
Il n'eut pas l'heur de s'occuper de nous,
Avec son arc et tous ses ustensiles,
Il est des jours où Cupidon s'en fout. *(bis)*

On a tenté sans lui d'ouvrir la fête,
Sur l'herbe tendre, on s'est roulés, mais vous
Avez perdu la vertu, pas la tête,
Il est des jours où Cupidon s'en fout. *(bis)*

Si vous m'avez donné toute licence,
Le cœur, hélas, n'était pas dans le coup;
Le feu sacré brillait par son absence,
Il est des jours où Cupidon s'en fout. *(bis)*

On effeuilla vingt fois la marguerite,
Elle tomba vingt fois sur « pas du tout ».
Et notre pauvre idylle a fait faillite,
Il est des jours où Cupidon s'en fout. *(bis)*

Quand vous irez au bois conter fleurette,
Jeunes galants, le ciel soit avec vous.
Je n'eus pas cette chance et le regrette,
Il est des jours où Cupidon s'en fout. *(bis)*

Montélimar

Avec leurs gniards
Mignons mignards,
Leur beau matou,
Leur gros toutou,
Les pharisiens,
Les béotiens,
Les aoûtiens,
Dans leur auto,
Roulent presto,

Tombeau ouvert,
Descendant vers
La grande mare,
En passant par
Montélimar. *(Au refrain.)*

Hélas bientôt
Le mal d'auto
Va déranger
Les passagers.
Le beau matou,
Le gros toutou,
Pas fiers du tout
— Ça fait frémir —
S'en vont vomir
Et même pis
Sur les tapis
Et les coussins
A beaux dessins,
C'est très malsain. *(Au refrain.)*

C'est très fâcheux,
C'est plus de jeu,
Et caetera.
Et alors à
Montélimar,
On en a marre
Du cauchemar.
Boutant presto
Hors de l'auto
Le beau matou,
Le gros toutou,
Ces handicaps
Sur Digne, Gap
On met le cap. *(Au refrain.)*

Alors tous ces
Petits poucets,
Ces beaux matous,
Ces gros toutous,
En ribambelle
Ont sans appel
Droit au scalpel.
Les aoûtiens
Les béotiens
Qui font ça n'ont
Pas d'âme, non,
Que leur auto
Bute presto
Contre un poteau ! *(Au refrain.)*

Refrain

Dites d'urgence
A ces engeances
De malheur
Et à leurs
Gniards
Que chiens, chats
N'aiment
Pas l' nougat
Même
Même celui
D' Montélimar.

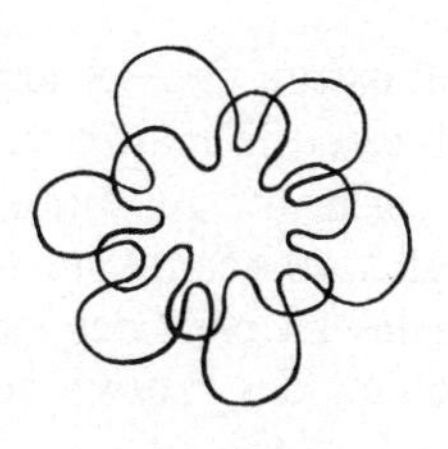

Histoire de faussaire

Se découpant sur champ d'azur
La ferme était fausse bien sûr,
Et le chaume servant de toit
Synthétique comme il se doit.
Au bout d'une allée de faux buis,
On apercevait un faux puits
Du fond duquel la vérité
N'avait jamais dû remonter.

Et la maîtresse de céans
Dans un habit, ma foi, seyant
De fermière de comédie
A ma rencontre descendit,
Et mon petit bouquet, soudain,
Parut terne dans ce jardin
Près des massifs de fausses fleurs
Offrant les plus vives couleurs.

Ayant foulé le faux gazon,
Je la suivis dans la maison
Où brillait sans se consumer
Un genre de feu sans fumée.
Face au faux buffet Henri deux,
Alignés sur les rayons de
La bibliothèque en faux bois,
Faux bouquins achetés au poids.

Faux Aubusson, fausses armures,
Faux tableaux de maître au mur,
Fausses perles et faux bijoux
Faux grains de beauté sur les joues,
Faux ongles au bout des menottes,
Piano jouant des fausses notes

Avec des touches ne devant
Pas leur ivoire aux éléphants.

Aux lueurs des fausses chandelles
Enlevant ses fausses dentelles,
Elle a dit, mais ce n'était pas
Sûr, tu es mon premier faux pas.
Fausse vierge, fausse pudeur,
Fausse fièvre, simulateurs,
Ces anges artificiels
Venus d'un faux septième ciel.

La seule chose un peu sincère
Dans cette histoire de faussaire
Et contre laquelle il ne faut
Peut-être pas s'inscrire en faux,
C'est mon penchant pour elle et mon
Gros point du côté du poumon
Quand amoureuse elle tomba
D'un vrai marquis de Carabas.

En l'occurrence Cupidon
Se conduisit en faux-jeton,
En véritable faux témoin,
Et Vénus aussi, néanmoins
Ce serait sans doute mentir
Par omission de ne pas dire
Que je leur dois quand même une heure
Authentique de vrai bonheur.

La messe au pendu

Anticlérical fanatique,
Gros mangeur d'ecclésiastiques,
Cet aveu me coûte beaucoup,
Mais ces hommes d'Église, hélas !
Ne sont pas tous des dégueulasses
Témoin le curé de chez nous.

Quand la foule qui se déchaîne
Pendit un homme au bout d'un chêne
Sans forme aucune de remords,
Ce ratichon fit un scandale
Et rugit à travers les stalles
Mort à toute peine de mort.

Puis, on le vit, étrange rite,
Qui baptisait les marguerites
Avec l'eau de son bénitier
Et qui prodiguait les hosties,
Le pain bénit, l'Eucharistie
Aux petits oiseaux du moutier.

Ensuite, il retroussa ses manches,
Prit son goupillon des dimanches
Et, plein d'une sainte colère,
Il partit comme à l'offensive
Dire une grand'messe exclusive
A celui qui dansait en l'air.

C'est à du gibier de potence
Qu'en cette triste circonstance
L'hommage sacré fut rendu.
Ce jour-là, le rôle du Christ(e),
Bonne aubaine pour le touriste,
Était joué par un pendu.

Et maintenant quand on croasse
Nous, les païens de sa paroisse
C'est pas lui qu'on veut dépriser.
Quand on crie « A bas la calotte »
A s'en faire péter la glotte,
La sienne n'est jamais visée.

Anticléricaux fanatiques,
Gros mangeurs d'ecclésiastiques,
Quand vous vous goinfrerez un plat
De cureton, je vous exhorte,
Camarades, à faire en sorte
Que ce ne soit pas celui-là.

Lèche-cocu

Comme il chouchoutait les maris,
Qu'il les couvrait de flatteries,
Quand il en pinçait pour leurs femmes,
Qu'il avait des cornes au cul,
On l'appelait lèche-cocu.
Oyez tous son histoire infâme.

Si l' mari faisait du bateau,
Il lui parlait de tirant d'eau,
De voiles, de mâts de misaine,
De yacht, de brick et de steamer.
Lui, qui souffrait du mal de mer
En passant les ponts de la Seine.

Si l'homme était un peu bigot,
Lui, qui sentait fort le fagot,

Criblait le ciel de patenôtres,
Communiait à grand fracas,
Retirant même en certains cas
L' pain bénit d' la bouche d'un autre.

Si l'homme était sergent de ville,
En sautoir — mon Dieu, que c'est vil —
Il portait un flic en peluche,
Lui qui, sans ménager sa voix,
Criait « Mort aux vaches », autrefois,
Même atteint de la coqueluche.

Si l'homme était un militant,
Il prenait sa carte à l'instant
Pour bien se mettre dans sa manche,
Biffant ses propres graffiti
Du vendredi, le samedi
Ceux du samedi, le dimanche.

Et si l'homme était dans l'armée,
Il entonnait pour le charmer
« Sambre et Meuse » et tout le folklore,
Lui, le pacifiste bêlant
Qui fabriquait des cerfs-volants
Avec le drapeau tricolore.

Eh bien, ce malheureux tocard
Faisait tout ça vainement, car
Étant comme cul et chemise
Avec les maris, il ne put
Jamais parvenir à son but :
Toucher à la fesse promise.

Ravis, ces messieurs talonnaient
Ce bougre qui les flagornait
A la ville, comme à la campagne,

Ne lui laissant pas l'occasion
De se trouver, quell' dérision,
Seul à seul avec leurs compagnes.

Et nous, copains, cousins, voisins,
Profitant (on n'est pas des saints)
De ce que ces deux imbéciles
Se passaient rhubarbe et séné,
On s' partageait leur dulcinée
Qui se laissait faire docile.

Et, tandis que lèche-cocu
Se prosternait cornes au cul
Devant ses éventuelles victimes,
Par surcroît, l'on couchait aussi —
La morale était sauve ainsi —
Avec sa femme légitime.

Les patriotes

Les invalid's chez nous, l' revers de leur médaille
C'est pas d'être hors d'état de suivr' les fill's, cré nom
[de nom,
Mais de ne plus pouvoir retourner au champ de bataille.
Le rameau d'olivier n'est pas notre symbole, non !

Ce que, par-dessus tout, nos aveugles déplorent,
C'est pas d'être hors d'état d' se rincer l'œil, cré nom
[de nom
Mais de ne plus pouvoir lorgner le drapeau tricolore.
La ligne bleue des Vosges sera toujours notre horizon.

Et les sourds de chez nous, s'ils sont mélancoliques,
C'est pas d'être hors d'état d'ouïr les sirènes, cré nom
[de nom
Mais de ne plus pouvoir entendre au défilé d' la clique,
Les échos du tambour, de la trompette et du clairon.

Et les muets d' chez nous, c' qui les met mal à l'aise
C'est pas d'être hors d'état d' conter fleurett', cré nom
[de nom
Mais de ne plus pouvoir reprendre en chœur la
[Marseillaise.
Les chansons martiales sont les seules que nous
[entonnons.

Ce qui de nos manchots aigrit le caractère,
C'est pas d'être hors d'état d' pincer les fess's, cré nom
[de nom
Mais de ne plus pouvoir faire le salut militaire.
Jamais un bras d'honneur ne sera notre geste, non !

Les estropiés d' chez nous, ce qui les rend patraques,
C'est pas d'être hors d'état d' courir la gueus', cré nom
[de nom
Mais de ne plus pouvoir participer à une attaque.
On rêve de Rosalie, la baïonnette, pas de Ninon.

C' qui manque aux amputés de leurs bijoux d' famille,
C'est pas d'être hors d'état d'aimer leur femm', cré nom
[de nom
Mais de ne plus pouvoir sabrer les belles ennemies.
La colomb' de la paix, on l'apprête aux petits
[oignons.

Quant à nos trépassés, s'ils ont tous l'âme en peine,
C'est pas d'être hors d'état d' mourir d'amour, cré nom
[de nom

Mais de ne plus pouvoir se faire occire à la prochaine.
Au monument aux morts, chacun rêve d'avoir son nom.

Mélanie

Les chansons de salle de garde
Ont toujours été de mon goût,
Et je suis bien malheureux, car de
Nos jours on n'en crée plus beaucoup.
Pour ajouter au patrimoine
Folklorique des carabins, *(bis)*
J'en ai fait une, putain de moine,
Plaise à Dieu qu'elle plaise aux copains. *(bis)*

Ancienne enfant d' Marie-salope
Mélanie, la bonne au curé,
Dedans ses trompes de Fallope,
S'introduit des cierges sacrés.
Des cierges de cire d'abeille
Plus onéreux, mais bien meilleurs, *(bis)*
Dame ! la qualité se paye
A Saint-Sulpice, comme ailleurs. *(bis)*

Quand son bon maître lui dit : « Est-ce
Trop vous demander Mélanie,
De n'user, par délicatesse,
Que de cierges non encore bénits ? »
Du tac au tac, elle réplique
« Moi, je préfère qu'ils le soient, *(bis)*
Car je suis bonne catholique. »
Elle a raison, ça va de soi. *(bis)*

Elle vous emprunte un cierge à Pâques
Vous le rend à la Trinité.
Non, non, non, ne me dites pas que
C'est normal de tant le garder.
Aux obsèques d'un con célèbre,
Sur la bière, ayant aperçu *(bis)*
Un merveilleux cierge funèbre,
Elle partit à cheval dessus. *(bis)*

Son mari pris dans la tempête,
La Paimpolaise était en train
De vouer, c'était pas si bête,
Un cierge au patron des marins.
Ce pieux flambeau qui vacille
Mélanie se l'est octroyé, *(bis)*
Alors le saint, cet imbécile,
Laissa le marin se noyer. *(bis)*

Les bons fidèles qui désirent
Garder pour eux, sur le chemin
Des processions, leur bout de cire
Doiv'nt le tenir à quatre mains,
Car quand elle s'en mêl', sainte vierge
Elle cause un désastre, un malheur. *(bis)*
La Saint-Barthélemy des cierges,
C'est le jour de la Chandeleur. *(bis)*

Souvent quand elle les abandonne,
Les cierges sont périmés ;
La sainte famille nous le pardonne
Plus moyen de les rallumer.
Comme ell' remue, comme elle se cabre,
Comme elle fait des soubresauts, *(bis)*
En retournant au candélabre,
Ils sont souvent en p'tits morceaux. *(bis)*

Et comme elle n'est pas de glace,
Parfois quand elle les restitue
Et qu'on veut les remettre en place,
Ils sont complètement fondus.
Et comme en outre elle n'est pas franche,
Il arrive neuf fois sur dix *(bis)*
Qu' sur un chandelier à sept branches
Elle n'en rapporte que six. *(bis)*

Mélanie à l'heure dernière
A peu de chances d'être élue ;
Aux culs bénits de cett' manière
Aucune espèce de salut.
Aussi, chrétiens, mes très chers frères,
C'est notre devoir, il est temps, *(bis)*
De nous employer à soustraire
Cette âme aux griffes de Satan. *(bis)*

Et je propose qu'on achète
Un cierge abondamment bénit
Qu'on fera brûler en cachette
En cachette de Mélanie.
En cachett' car cette salope
Serait fichue d'se l'enfoncer *(bis)*
Dedans ses trompes de Fallope,
Et tout serait à recommencer. *(bis)*

Disque 13

Face 1

Belleville-Ménilmontant (A. Bruant)
Places de Paris (A. Bruant)
A la place Maubert (A. Bruant)
A la Goutte d'Or (A. Bruant)
Maman, papa (Georges Brassens)
Élégie à un rat de cave (Georges Brassens)

Face 2

Carcassonne (G. Nadaud, G. Brassens)
Le roi boiteux (G. Nadaud, G. Brassens)
Jehan l'advenu (Norge, Jacques Yvart)
Ballade à la lune (A. de Musset, G. Brassens)
A mon frère revenant d'Italie
(A. de Musset, G. Brassens)
Heureux qui comme Ulysse
(H. Colpi, G. Delerue)

Disque document

Œuvres de : Aristide Bruant, Gustave Nadaud,
Alfred de Musset, Norge, Henri Colpi,
interprétées par Georges Brassens

Maman, papa

Maman, maman, en faisant cette chanson,
Maman, maman, je r'deviens petit garçon,
Alors je suis sage en classe
Et, pour te fair' plaisir,
J'obtiens les meilleures places,
Ton désir.
Maman, maman, je préfère à mes jeux fous,
Maman, maman, demeurer sur tes genoux,
Et, sans un mot dire, entendre tes refrains charmants,
Maman, maman, maman, maman.

Maman, maman, en faisant cette chanson,
Maman, maman, je r'deviens petit garçon,
Et je t'entends sous l'orage
User tout ton humour
Pour redonner du courage
A nos cœurs lourds.
Papa, papa, il n'y eut pas entre nous,
Papa, papa, de tendresse ou de mots doux,
Pourtant on s'aimait, bien qu'on ne se l'avouât pas,
Papa, papa, papa, papa.

Maman, maman, en faisant cette chanson,
Maman, maman, je r'deviens petit garçon,
Et, grâce à cet artifice,
Soudain je comprends

Le prix de vos sacrifices,
Mes parents.
Maman, papa, toujours je regretterai,
Maman, papa, de vous avoir fait pleurer
Au temps où nos cœurs ne se comprenaient encor'
[pas,
Maman, papa, maman, papa.

Élégie a un rat de cave

Personne n'aurait cru ce cave
Prophétisant que par malheur,
Mon pauvre petit rat de cave,
Tu débarquerais avant l'heure.
Tu n'étais pas du genre qui vire
De bord et tous on le savait,
Du genre à quitter le navire,
Et tu es la premièr' qui l'aies fait.

Maintenant m'amie qu'on te séquestre
Au sein des cieux,
Que je me déguise en chanteur d'orchestre
Pour tes beaux yeux,
En partant m'amie je te l'assure,
Tu as fichu le noir au fond de nous,
Quoiqu'on n'ait pas mis de crêpe sur
Nos putains de binious.
On n' m'a jamais vu faut que tu l' notes,
C'est une primeur,
Faire un bœuf avec des croque-notes,
C'est en ton honneur.
Sache aussi qu'en écoutant Bechet(e),

Foll' gamberge on voit la nuit tombée,
Ton fantôme qui sautille en cachette
Rue du Vieux-Colombier.
Ton fantôme qui sautille en cachette
Rue du Vieux-Colombier.

Sans aucun « au revoir mes frères »
Mais on n' t'en veut pas pour autant,
Mine de rien tu es allée faire
Ton trou dans les neiges d'antan.
Désormais c'est pas des salades,
Parmi Flora, Jeanne, Thaïs,
J'inclus ton nom à la ballade
Des belles dam's du temps jadis.

Maintenant m'amie qu' ta place est faite
Chez les gentils,
Qu' tu as r'trouvé pour l'éternelle fête,
Papa Zutty,
Chauff' la place à tous les vieux potaches,
Machin Chose, et Luter et Longnon,
Et ce gras du bide de Moustache,
Tes fidèl's compagnons.
S'il est brave, pourquoi que Dieu le père,
Là-haut ferait
Quelque différence entre Saint-Pierre
Et Saint-Germain-des-Prés ?
De tout cœur on espère que dans ce
Paradis miséricordieux,
Brill'nt pour toi des lendemains qui dansent
Ou y' a pas de bon Dieu.
Brill'nt pour toi des lendemains qui dansent
Ou y' a pas de bon Dieu.

Carcassonne

Poème de Gustave Nadaud.

« Je me fais vieux, j'ai soixante ans,
J'ai travaillé toute ma vie
Sans avoir, durant tout ce temps,
Pu satisfaire mon envie.
Je vois bien qu'il n'est ici-bas
De bonheur complet pour personne.
Mon vœu ne s'accomplira pas :
Je n'ai jamais vu Carcassonne !

« On dit qu'on y voit tous les jours,
Ni plus ni moins que les dimanches,
Des gens s'en aller sur le cours,
En habits neufs, en robes blanches.
On dit qu'on y voit des châteaux
Grands comme ceux de Babylone,
Un évêque et deux généraux !
Je ne connais pas Carcassonne !

« Le vicaire a cent fois raison :
C'est des imprudents que nous sommes.
Il disait dans son oraison
Que l'ambition perd les hommes.
Si je pouvais trouver pourtant
Deux jours sur la fin de l'automne...
Mon Dieu ! que je mourrais content
Après avoir vu Carcassonne !

« Mon Dieu ! mon Dieu ! pardonnez-moi
Si ma prière vous offense ;
On voit toujours plus haut que soi,
En vieillesse comme en enfance.

Ma femme, avec mon fils Aignan,
A voyagé jusqu'à Narbonne ;
Mon filleul a vu Perpignan,
Et je n'ai pas vu Carcassonne ! »

Ainsi chantait, près de Limoux,
Un paysan courbé par l'âge.
Je lui dis : « Ami, levez-vous ;
Nous allons faire le voyage. »
Nous partîmes le lendemain ;
Mais (que le bon Dieu lui pardonne !)
Il mourut à moitié chemin :
Il n'a jamais vu Carcassonne !

Le roi boiteux

Poème de Gustave Nadaud.

Un roi d'Espagne, ou bien de France,
Avait un cor, un cor au pied ;
C'était au pied gauche, je pense ;
Il boitait à faire pitié.

Les courtisans, espèce adroite,
S'appliquèrent à l'imiter,
Et qui de gauche, qui de droite,
Ils apprirent tous à boiter.

On vit le bénéfice
Que cette mode rapportait ;
Et, de l'antichambre à l'office,
Tout le monde boitait, boitait.

Un jour, un seigneur de province,
Oubliant son nouveau métier,
Vint à passer devant le prince,
Ferme et droit comme un peuplier.

Tout le monde se mit à rire,
Excepté le roi qui, tout bas,
Murmura : « Monsieur, qu'est-ce à dire ?
Je crois que vous ne boitez pas. »

« Sire, quelle erreur est la vôtre !
Je suis criblé de cors ; voyez :
Si je marche plus droit qu'un autre,
C'est que je boite des deux pieds. »

Ballade à la lune

Poème d'Alfred de Musset.

C'était, dans la nuit brune,
Sur un clocher jauni,
    La lune,
Comme un point sur un i.

Lune, quel esprit sombre
Promène au bout d'un fil,
    Dans l'ombre,
Ta face et ton profil ?

Es-tu l'œil du ciel borgne ?
Quel chérubin cafard
    Nous lorgne
Sous ton masque blafard ?

Est-ce un ver qui te ronge
Quand ton disque noirci
S'allonge
En croissant rétréci ?

Es-tu, je t'en soupçonne,
Le vieux cadran de fer
Qui sonne
L'heure aux damnés d'enfer ?

Sur ton front qui voyage,
Ce soir ont-ils compté
Quel âge
A leur éternité ?

Qui t'avait éborgnée
L'autre nuit ? T'étais-tu
Cognée
Contre un arbre pointu ?

Car tu vins, pâle et morne,
Coller sur mes carreaux
Ta corne,
A travers les barreaux.

Lune, en notre mémoire,
De tes belles amours
L'histoire
T'embellira toujours.

Et toujours rajeunie,
Tu seras du passant
Bénie,
Pleine lune ou croissant.

Et qu'il vente ou qu'il neige,
Moi-même, chaque soir,
    Que fais-je,
Venant ici m'asseoir ?

Je viens voir à la brune,
Sur le clocher jauni
    La Lune
Comme un point sur un i.

Je viens voir à la brune,
Sur le clocher jauni,
    La lune,
Comme un point sur un i.

A mon frère, revenant d'Italie

Poème d'Alfred de Musset.

Ainsi mon cher, tu t'en reviens
Du pays dont je me souviens
    Comme d'un rêve,
De ces beaux lieux où l'oranger
Naquit pour nous dédommager
    Du péché d'Ève.

Tu l'as vu, ce fantôme altier
Qui jadis eut le monde entier
    Sous son empire.
César dans sa pourpre est tombé ;
Dans un petit manteau d'abbé
    Sa veuve expire.

Tu t'es bercé sur ce flot pur
Où Naples enchâsse dans l'azur
Sa mosaïque,
Oreiller des lazzaroni
Où sont nés le macaroni
Et la musique.

Qu'il soit rusé, simple ou moqueur,
N'est-ce pas qu'il nous laisse au cœur
Un charme étrange,
Ce peuple ami de la gaieté
Qui donnerait gloire et beauté
Pour une orange ?

Ischia ! C'est là qu'on a des yeux,
C'est là qu'un corsage amoureux
Serre la hanche.
Sur un bras rouge bien tiré
Brille, sous le jupon doré,
La mule blanche.

Pauvre Ischia ! bien des gens n'ont vu
Tes jeunes filles que pied nu
Dans la poussière.
On les endimanche à prix d'or ;
Mais ton pur soleil brille encor
Sur leur misère.

Quoi qu'il en soit, il est certain
Que l'on ne parle pas latin
dans les Abruzzes,
Et que jamais un postillon
N'y sera l'enfant d'Apollon
Ni des neuf Muses.

Toits superbes ! froids monuments !
Linceul d'or sur des ossements !
    Ci-gît Venise.
Là mon pauvre cœur est resté.
S'il doit m'en être rapporté,
    Dieu le conduise !

Mais de quoi vais-je ici parler ?
Que ferait l'homme désolé,
    Quand toi, cher frère,
Ces lieux où j'ai failli mourir,
Tu t'en viens de les parcourir
    Pour te distraire ?

Frère, ne t'en va plus si loin.
D'un peu d'aide j'ai grand besoin,
    Quoi qu'il m'advienne.
Je ne sais où va mon chemin,
Mais je marche mieux quand ta main
    Serre la mienne.

Disque 14

Face 1

Quand les cons sont braves
Méchante avec de jolis seins
Dieu s'il existe
Le vieux Normand

Face 2

Le passéiste
Ceux qui ne pensent pas comme nous
La visite
La nymphomane

(1982)

Quand les cons sont braves

Sans être tout à fait un imbécil' fini,
Je n'ai rien du penseur, du phénix, du génie.
Mais je n' suis pas le mauvais bougre et j'ai bon cœur,
Et ça compense à la rigueur.

Refrain

Quand les cons sont braves
Comme moi,
Comme toi,
Comme nous,
Comme vous,
Ce n'est pas très grave.
Qu'ils commett'nt,
Se permett'nt
Des bêtises,
Des sottises,
Qu'ils déraisonnent,
Ils n'emmerdent personne.
Par malheur sur terre
Les trois quarts
Des tocards
Sont des gens
Très méchants,
Des crétins sectaires.
Ils s'agit'nt,

Ils s'excit'nt,
Ils s'emploient,
Ils déploient
Leur zèle à la ronde,
Ils emmerdent tout l' monde.

Si le sieur X était un lampiste ordinaire,
Il vivrait sans histoir's avec ses congénères.
Mais hélas ! il est chef de parti, l'animal :
Quand il débloque, ça fait mal ! *(Au refrain.)*

Si le sieur Z était un jobastre sans grade,
Il laisserait en paix ses pauvres camarades.
Mais il est général, va-t'en-guerr', « matamore ».
Dès qu'il s'en mêle, on compt' les morts. *(Au refrain.)*

Mon Dieu, pardonnez-moi si mon propos vous fâche
En mettant les connards dedans des peaux de vache,
En mélangeant les genr's, vous avez fait d' la terre
Ce qu'elle est : une pétaudière ! *(Au refrain.)*

Méchante avec de jolis seins

Hélas, si j'avais pu deviner que vos avantages
Cachaient sournoisement, madame, une foison d'oursins,
J'eusse borné mon zèle à d'innocents marivaudages.
Se peut-il qu'on soit si méchante avec de jolis seins ?
Se peut-il qu'on soit si méchante avec de jolis seins,
Si méchante avec de jolis seins ?

J'eusse borné mon zèle à d'innocents marivaudages,
Ma main n'eût pas quitté même un instant le clavecin.

Je me fusse permis un madrigal, pas davantage.
Se peut-il qu'on soit si méchante avec de jolis seins ?
Se peut-il qu'on soit si méchante avec de jolis seins,
Si méchante avec de jolis seins ?

Quand on a comme vous reçu tant de grâce en partage,
C'est triste au fond du cœur de rouler d'aussi noirs
[desseins.
Vous gâchez le métier de belle, et c'est du sabotage.
Se peut-il qu'on soit si méchante avec de jolis seins ?
Se peut-il qu'on soit si méchante avec de jolis seins,
Si méchante avec de jolis seins ?

Vous gâchez le métier de belle, et c'est du sabotage,
Et je succombe ou presque sous votre charme assassin,
Moi qui vais tout à l'heure atteindre à la limite d'âge.
Se peut-il qu'on soit si méchante avec de jolis seins ?
Se peut-il qu'on soit si méchante avec de jolis seins,
Si méchante avec de jolis seins ?

Moi qui vais tout à l'heure atteindre à la limite d'âge,
Mon ultime recours c'est d'entrer chez les capucins,
Car vous m'avez détruit, anéanti comme Carthage.
Se peut-il qu'on soit si méchante avec de jolis seins ?
Se peut-il qu'on soit si méchante avec de jolis seins,
Si méchante avec de jolis seins ?

Dieu s'il existe

Au ciel de qui se moque-t-on ?
Était-ce utile qu'un orage
Vînt au pays de Jeanneton
Mettre à mal son beau pâturage ?
Pour ses brebis, pour ses moutons,
Plus une plante fourragère,
Rien d'épargné que le chardon !
Dieu, s'il existe, il exagère.
Il exagère.

Et là-dessus, méchant, glouton,
Et pas pour un sou bucolique,
Vers le troupeau de Jeanneton,
Le loup sortant du bois rapplique.
Sans laisser même un rogaton,
Tout il croque, tout il digère.
Au ciel de qui se moque-t-on ?
Dieu, s'il existe, il exagère.
Il exagère.

Et là-dessus le Corydon,
Le promis de la pastourelle,
Laquelle allait au grand pardon
Rêver d'amours intemporelles,
— Au ciel de qui se moque-t-on ? —
Suivit la cuisse plus légère
Et plus belle d'une goton.
Dieu, s'il existe, il exagère.
Il exagère.

Adieu les prairies, les moutons,
Et les beaux jours de la bergère.
Au ciel de qui se moque-t-on ?

Ferait-on de folles enchères ?
Quand il grêle sur le persil,
C'est bête et méchant, je suggère
Qu'on en parle au prochain concile.
Dieu, s'il existe, il exagère.
Il exagère.

Le vieux Normand

Depuis que je commence à faire de vieux os,
Avide de conseils, souvent un jouvenceau
Me demande la marche à suivre et s'il est bon
D'aller par-ci, par-là, scrupuleux je réponds :

Refrain

Crosse en l'air ou bien fleur au fusil,
C'est à toi d'en décider, choisis !
A toi seul de trancher s'il vaut mieux
Dire « amen » ou « merde à Dieu ».

Et le brave petit blâme ma position,
M'accuse de danser la valse hésitation.
Cet âge exècre l'attitude des Normands.
Les seuls à lui parler en fait honnêtement. *(Au refrain.)*

Facile d'entraîner de jeunes innocents !
Puisqu'il est interdit d'interdire à présent,
Lors, en bonne justice, il est déconseillé
De donner des conseils, surtout s'ils sont payés.
[*(Au refrain.)*

A gauche, à droite, au centre ou alors à l'écart,
Je ne puis t'indiquer où tu dois aller, car
Moi le fil d'Ariane me fait un peu peur
Et je ne m'en sers plus que pour couper le beurre.
[*(Au refrain.)*

Quand tous les rois Pétaud crient « Viv' la république »,
Que mort aux vaches même est un slogan de flic,
Que l'on parle de paix le cul sur des canons,
Bienheureux celui qui s'y retrouve, moi non ! *(Au refrain.)*

La vérité d'ailleurs flotte au gré des saisons.
Tout fier dans son sillage, on part, on a raison.
Mais au cours du voyage, elle a viré de bord,
Elle a changé de cap, on arrive : on a tort. *(Au refrain.)*

Le passéiste

Tant pis si j'ai l'air infantile,
Mais, par ma foi !
Ma phrase d'élection c'est : « Il
Était une fois »
Et dans les salons où l'on cause,
Tant pis si on
Fait le procès de ma morose
Délectation.
Sitôt que je perds contenance
Au temps qui court,
Lors, j'appelle les souvenances
A mon secours.
Ne vous étonnez pas, ma chère,
Si vous trouvez

Les vers de jadis et naguère
A mon chevet.

Quitte à froisser la marguerite,
Faut que je dise
Que tu es ma fleur favorite,
Myosotis.
Si les neiges d'antan sont belles,
C'est qu' les troupeaux
De bovins posent plus sur elles
Leurs gros sabots.
Au royaume des vieilles lunes,
Que Copernic
M'excuse, pas d'ombre importune,
Pas de spoutnik !
Le feu des étoiles éteintes
M'éclaire encore,
Et j'entends l'Angélus qui tinte
Aux clochers morts.

Que les ans rongent mes grimoires,
Ça ne fait rien,
Mais qu'ils épargnent ma mémoire,
Mon plus cher bien !
Que Dieu me frappe d'aphasie,
D'influenza,
Mais qu'il m'évite l'amnésie,
Tout, mais pas ça !
Tant pis si j'ai l'air infantile,
Mais, par ma foi !
Ma phrase d'élection c'est : « Il
Était une fois »
Tant pis si j'ai l'air infantile,
Mais, par ma foi !
Ma phrase d'élection c'est : « Il
Était une fois. »

Ceux qui ne pensent pas comme nous

Quand on n'est pas d'accord avec le fort en thème
Qui, chez les sorbonnards, fit ses humanités,
On murmure in petto : « C'est un vrai Nicodème,
Un balourd, un bélître, un bel âne bâté. »
Moi qui pris mes leçons chez l'engeance argotique,
Je dis en l'occurrence, excusez le jargon,
Si la forme a changé le fond reste identique :
« Ceux qui ne pensent pas comme nous sont des cons. »

Refrain

Entre nous soit dit, bonnes gens,
Pour reconnaître
Que l'on n'est pas intelligent,
Il faudrait l'être.
} *bis*

Jouant les ingénus, le père de Candide,
Le génial Voltaire, en substance écrivit
Qu'il souffrait volontiers — complaisance splendide —
Que l'on ne se conformât point à son avis.
« Vous proférez, Monsieur, des sottises énormes,
Mais jusques à la mort, je me battrais pour qu'on
Vous les laissât tenir. Attendez-moi sous l'orme ! »
« Ceux qui ne pensent pas comme nous sont des cons. »
[*(Au refrain.)*

Si ça n'entraîne pas une guerre civile
Quand un fâcheux me contrarie, c'est — soyons francs —
Un peu par sympathie, par courtoisie servile,
Un peu par vanité d'avoir l'air tolérant,
Un peu par crainte aussi que cette grosse bête

Prise à rebrousse-poil ne sorte de ses gonds
Pour mettre à coups de poing son credo dans ma tête.
« Ceux qui ne pensent pas comme nous sont des cons. »
[*(Au refrain.)*

La morale de ma petite ritournelle,
Il semble superflu de vous l'expliciter.
Elle coule de source, elle est incluse en elle,
Faut choisir entre deux éventualités.
En fait d'alternative, on fait pas plus facile.
Ceux qui l'aiment, parbleu, sont des esprits féconds,
Ceux qui ne l'aiment pas, de pauvres imbéciles.
« Ceux qui ne pensent pas comme nous sont des cons. »
[*(Au refrain.)*

La visite

On n'était pas des Barbe-Bleue,
Ni des pelés, ni des galeux,
Porteurs de parasites.
On n'était pas des spadassins,
On venait du pays voisin,
On venait en visite.

On n'avait aucune intention
De razzia, de déprédation,
Aucun but illicite.
On venait pas piller chez eux,
On venait pas gober leurs œufs,
On venait en visite.

On poussait pas des cris d'Indiens,
On avançait avec maintien

Et d'un pas qui hésite
On braquait pas des revolvers,
On arrivait les bras ouverts,
On venait en visite.

Mais ils sont rentrés dans leurs trous,
Mais ils ont poussé les verrous
Dans un accord tacite.
Ils ont fermé les contrevents,
Caché les femmes, les enfants,
Refusé la visite.

On venait pas les sermonner,
Tenter de les endoctriner,
Pas leur prendre leur site.
On venait leur dire en passant,
Un petit bonjour innocent,
On venait en visite.

On venait pour se présenter,
On venait pour les fréquenter,
Pour qu'ils nous plébiscitent,
Dans l'espérance d'être admis
Et naturalisés amis,
On venait en visite.

Par malchance, ils n'ont pas voulu
De notre amitié superflue
Que rien ne nécessite.
Et l'on a refermé nos mains,
Et l'on a rebroussé chemin,
Suspendu la visite,

(Coda)

Suspendu la visite.

La nymphomane

Mânes de mes aïeux, protégez-moi, bons mânes !
Les joies charnell's me perdent,
La femme de ma vie, hélas ! est nymphomane,
Les joies charnell's m'emmerdent. *(bis)*

Sans couleur de me donner une descendance,
Les joies charnell's me perdent,
Dans l'alcôve ell' me fait passer mon existence,
Les joies charnell's m'emmerdent. *(bis)*

J'ai beau demander grâce, invoquer la migraine,
Les joies charnell's me perdent,
Sur l'autel conjugal, implacable, ell' me traîne,
Les joies charnell's m'emmerdent. *(bis)*

Et je courbe l'échine en déplorant, morose,
Les joies charnell's me perdent,
Qu'on trouv' plus les enfants dans les choux, dans
[les roses,
Les joies charnell's m'emmerdent. *(bis)*

Et je croque la pomme, après quoi, je dis pouce.
Les joies charnell's me perdent,
Quand la pomme est croquée, de plus belle ell' repousse,
Les joies charnell's m'emmerdent. *(bis)*

Métamorphose inouïe, métempsychose infâme,
Les joies charnell's me perdent,
C'est le tonneau des Danaïd's changé en femme,
Les joies charnell's m'emmerdent. *(bis)*

J'en arrive à souhaiter qu'elle se dévergonde,
Les joies charnell's me perdent,

Qu'elle prenne un amant ou deux qui me secondent,
Les joies charnell's m'emmerdent. *(bis)*

Or, malheureusement, la bougresse est fidèle,
Les joies charnell's me perdent,
Pénélope est une roulure à côté d'elle,
Les joies charnell's m'emmerdent. *(bis)*

Certains à coups de dents creusent leur sépulture,
Les joies charnell's me perdent,
Moi j'use d'un outil de tout autre nature,
Les joies charnell's m'emmerdent. *(bis)*

Après que vous m'aurez emballé dans la bière,
Les joies charnell's me perdent,
Prenez la précaution de bien sceller la pierre,
Les joies charnell's m'emmerdent. *(bis)*

Car, même mort, je devrais céder à ses rites,
Les joies charnell's me perdent,
Et mes os n'auraient pas le repos qu'ils méritent,
Les joies charnell's m'emmerdent. *(bis)*

Qu'on m'incinèr' plutôt ! Ell' n'os'ra pas descendre,
Les joies charnell's me perdent,
Sacrifier à Vénus, avec ma pauvre cendre,
Les joies charnell's m'emmerdent. *(bis)*

Mânes de mes aïeux, protégez-moi, bons mânes !
Les joies charnell's me perdent,
La femme de ma vie, hélas ! est nymphomane,
Les joies charnell's m'emmerdent. *(bis)*

Disque 15

Face 1

Clairette et la fourmi
Entre la rue Didot et la rue de Vanves
L'andropause
Entre l'Espagne et l'Italie

Face 2

La maîtresse d'école
Ce n'est pas tout d'être mon père
Le sceptique
Retouches à un roman d'amour de quatre sous
Le pêcheur

(1982)

Clairette et la fourmi

J'étais pas l'amant de Clairette,
Mais son ami.
De jamais lui conter fleurette
J'avais promis.
Un jour qu'on gardait ses chevrettes
Aux champs, parmi
L'herbe tendre et les pâquerettes, } *(bis)*
Elle s'endormit.

Durant son sommeil, indiscrète,
Une fourmi
Se glissa dans sa collerette,
Quelle infamie !
Moi, pour secourir la pauvrette,
Vite je mis
Ma patte sur sa gorgerette : } *(bis)*
Elle a blêmi.

Crime de lèse-bergerette
J'avais commis.
Par des gifles que rien n'arrête
Je suis puni,
Et pas des gifles d'opérette,
Pas des demies.
J'en ai gardé belle lurette } *(bis)*
Le cou démis.

Quand j'ai tort, moi, qu'on me maltraite,
D'accord, admis !
Mais quand j'ai rien fait, je regrette,
C'est pas permis.
Voilà qu'à partir je m'apprête
Sans bonhomie,
C'est alors que la guillerette
Prend l'air soumis. } *(bis)*

Elle dit, baissant les mirettes :
« C'est moi qui ai mis,
Au-dedans de ma collerette,
Cette fourmi. »
Les clés de ses beautés secrètes
Ell' m'a remis.
Le ciel me tombe sur la crête
Si l'on dormit. } *(bis)*

Je suis plus l'ami de Clairette,
Mais son promis.
Je ne lui contais pas fleurette,
Je m'y suis mis.
De jour en jour notre amourette
Se raffermit.
Dieu protège les bergerettes
Et les fourmis ! } *(bis)*

Entre la rue Didot et la rue de Vanves

Voici ce qu'il advint jadis grosso modo
Entre la rue Didot et la rue de Vanves,
Dans les années quarante
Où je débarquais de mon Languedo,
Entre la rue de Vanv's et la rue Didot.

Passait un' bell' Gretchen au carr'four du château,
Entre la rue Didot et la rue de Vanves,
Callipyge à prétendre
Jouer les Vénus chez les Hottentots,
Entre la rue de Vanv's et la rue Didot.

En signe d'irrespect, je balance aussitôt,
Entre la rue Didot et la rue de Vanves,
En geste de revanche,
Une patte croche au bas de son dos,
Entre la rue de Vanv's et la rue Didot.

La souris gris' se fâche et subito presto,
Entre la rue Didot et la rue de Vanves,
La conne, la méchante,
Va d'mander ma tête à ses p'tits poteaux,
Entre la rue de Vanv's et la rue Didot.

Deux sbires sont venus avec leurs noirs manteaux,
Entre la rue Didot et la rue de Vanves,
Se pointer dans mon antre
Et sûrement pas pour m' fair' de cadeaux,
Entre la rue de Vanv's et la rue Didot.

J'étais alors en train de suer sang et eau,
Entre la rue Didot et la rue de Vanves,

De m'user les phalanges
Sur un chouette accord du père Django,
Entre la rue de Vanv's et la rue Didot.

Par un heureux hasard, ces enfants de salauds,
Entre la rue Didot et la rue de Vanves,
Un sacré coup de chance,
Aimaient la guitare et les trémolos,
Entre la rue de Vanv's et la rue Didot.

Ils s'en sont retournés sans finir leur boulot,
Entre la rue Didot et la rue de Vanves,
Fredonnant un mélange
De Lily Marlène et d'Heili Heilo,
Entre la rue de Vanv's et la rue Didot.

Une supposition : qu'ils aient comme Malraux,
Entre la rue Didot et la rue de Vanves,
Qu'ils aient comme ce branque
Compté la musique pour moins que zéro,
Entre la rue de Vanv's et la rue Didot,

M'auraient collé au mur avec ou sans bandeau,
Entre la rue Didot et la rue de Vanves,
On lirait, quell' navrance !
Mon blase inconnu dans un ex-voto,
Entre la rue de Vanv's et la rue Didot.

Au théâtre, ce soir, ici sur ces tréteaux,
Entr' la rue Didot et la rue de Vanves,
Poussant une autr' goualante,
Y' aurait à ma place un autre cabot,
Entre la rue de Vanv's et la rue Didot. *(bis)*

L'andropause

Aux quatre coins de France, émanant je suppose
De maris rancuniers par la haine conduits,
Le bruit court que j'atteins l'heure de l'andropause,
Qu'il ne faut plus compter sur moi dans le déduit.

Ô n'insultez jamais une verge qui tombe !
Ce n'est pas leur principe, ils crient sur tous les tons
Que l'une de mes deux est déjà dans la tombe
Et que l'autre à son tour file un mauvais coton.

Tous ces empanachés bêtement se figurent
Qu'un membr' de ma famille est à jamais perclus,
Que le fameux cochon, le pourceau d'Epicure
Qui sommeillait en moi ne s'éveillera plus.

Ils me croient interdit de séjour à Cythère,
Et, par les nuits sans lune avec jubilation,
Ils gravent sur mon mur en style lapidaire :
« Ici loge un vieux bouc qui n'a plus d'érections » !

Ils sont prématurés, tous ces cris de victoire,
Ô vous qui me plantez la corne dans le dos,
Sachez que vous avez vendu les génitoires,
Révérence parler, de l'ours un peu trop tôt.

Je n'ai pas pour autant besoin de mandragore,
Et vos femmes, messieurs, qu' ces jours-ci j'ai reçues,
Que pas plus tard qu'hier je contentais encore,
Si j' n'ai plus d'érections, s'en fussent aperçues.

A l'hôpital Saint-Louis, l'autre jour, ma parole,
Le carabin m'a dit : « On ne peut s'y tromper,
En un mot comme en cent, monsieur, c'est la vérole. »
Si j' n'ai plus d'érections, comment l'ai-je attrapée ?

Mon plus proche voisin n'aime que sa légitime,
Laquelle, épous' modèle, n'a que moi pour amant.
Or tous deux d' la vérole, ils sont tombés victimes.
Si j' n'ai plus d'érections, expliquez-moi comment ?

Mes copains, mon bassiste et tous ceux de la troupe
En souffrirent bientôt, nul n'en fut préservé.
Or je fus le premier à l'avoir dans le groupe.
Si j' n'ai plus d'érections, comment est-ce arrivé ?

Minotaures méchants, croyez-vous donc qu'à braire
Que mon train de plaisir arrive au terminus,
Vous me cassiez mes coups ? Au contraire, au contraire,
Je n'ai jamais autant sacrifié à Vénus !

Tenant à s'assurer si ces bruits qu'on colporte,
Ces potins alarmants sont ou sont pas fondés,
Ces dames nuit et jour font la queue à ma porte,
Poussées par le démon de la curiosité.

Et jamais, non jamais, soit dit sans arrogance,
Mon commerce charnel ne fut plus florissant.
Et vous, pauvres de vous, par voie de conséquence
Vous ne fûtes jamais plus cocus qu'à présent.

Certes, elle sonnera cette heure fatidique,
Où perdant toutes mes facultés génétiques
Je serai sans émoi,
Où le septième ciel — ma plus chère ballade,
Ma plus douce grimpette et plus tendre escalade, —
Sera trop haut pour moi.

Il n'y aura pas de pleurs dans les gentilhommières,
Ni de grincements de fesses dans les chaumières,
Faut pas que je me leurre.

Peu de chances qu'on voie mes belles odalisques
Déposer en grand deuil au pied de l'obélisque
Quelques gerbes de fleurs.

Tout au plus gentiment diront-elles « Peuchère,
Le vieux Priape est mort », et, la cuisse légère,
Le regard alangui,
Elles s'en iront vous rouler dans la farine
De safran, tempérer leur fureur utérine
Avec n'importe qui.

Et vous regretterez les manières civiles
De votre ancien rival qui, dans son baise-en-ville,
Apportait sa guitare,
Et faisait voltiger en gratouillant les cordes
Des notes de musique à l'entour de vos cornes,
Mais il sera trop tard !

Entre l'Espagne et l'Italie

Le géographe était pris de folie,
Quand il imagina de tendre,
Tout juste entre l'Espagne et l'Italie,
Ma carte du Tendre.

Refrain

Avec moi Cupidon se surmène.
Dans mon cœur d'artichaut il piqua
Deux flèches : l'une au nom de Carmen(e),
La seconde au nom de Francesca.

Les soirs de bal, j'enlace tour à tour,
Je fais danser chacune d'elles :
Un pied pour la séguedille, un pied pour
La gaie tarentelle. *(Au refrain.)*

Sans guère songer à ce que demain
Le coquin de sort me destine,
J'avance en tenant ferme à chaque main
Mes deux sœurs latines. *(Au refrain.)*

Si jamais l'une d'ell's un jour apprend
Qu'elle n'est pas tout à fait seule,
J'ai plus qu'à courir chez le tisserand
Choisir un linceul. *(Au refrain.)*

On me verrait pris dans cette hypothèse
Entre deux mégères ardentes,
Entre deux feux : l'enfer de Cervantès
Et l'enfer de Dante ! *(Au refrain.)*

Devant la faucheuse s'il faut plus tard,
Pauvre de moi, que je m'incline,
Qu'on me porte en terre au son des guitares
Et des mandolines ! *(Au refrain.)*

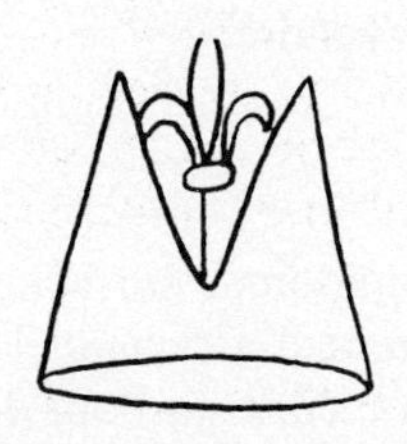

La maîtresse d'école

A l'école où nous avons appris l'ABC
La maîtresse avait des méthodes avancées.
Comme il fut doux le temps, bien éphémère, hélas !
Où cette bonne fée régna sur notre classe.
Régna sur notre classe.

Avant elle, nous étions tous des paresseux,
Des lève-nez, des cancres, des crétins crasseux.
En n' travaillant exclusivement que pour nous,
Les marchands d' bonnets d'âne étaient sur les genoux.
Étaient sur les genoux

La maîtresse avait des méthodes avancées :
Au premier de la class ell' promit un baiser,
Un baiser pour de bon, un baiser libertin,
Un baiser sur la bouche, enfin bref, un patin.
Enfin bref, un patin.

Aux pupitres alors, quelque chose changea,
L'école buissonnière eut plus jamais un chat.
Et les pauvres marchands de bonnets d'âne, crac !
Connurent tout à coup la faillite, le krach.
La faillite, le krach.

Lorsque le proviseur, à la fin de l'année,
Nous lut les résultats, il fut bien étonné.
La maîtresse, ell', rougit comme un coquelicot,
Car nous étions tous prix d'excellence ex-aequo.
D'excellence ex-aequo.

A la récréation, la bonne fée se mit
En devoir de tenir ce qu'elle avait promis.
Et comme elle embrassa quarante lauréats,

Jusqu'à une heure indue la séance dura.
La séance dura.

Ce système bien sûr ne fut jamais admis
Par l'imbécile alors recteur d'académie.
De l'école, en dépit de son beau palmarès,
On chassa pour toujours notre chère maîtresse.
Notre chère maîtresse.

Le cancre fit alors sa réapparition,
Le fort en thème est redevenu l'exception.
A la fin de l'année suivante, quel fiasco !
Nous étions tous derniers de la classe ex-aequo !
De la classe ex-aequo !

A l'école où nous avons appris l'ABC
La maîtresse avait des méthodes avancées.
Comme il fut doux le temps bien éphémère, hélas !
Où cette bonne fée régna sur notre classe.
Régna sur notre classe.

Ce n'est pas tout d'être mon père

Du fait qu'un couple de fieffés
Minables a pris le café
Du pauvre, on naît et nous voilà
Contraints d'estimer ces gens-là.
Parc' qu'un minus de cinq à sept
Chevauche une pauvre mazette
Qui resta froide, sortit du
Néant un qui n'aurait pas dû.

Refrain

Ce n'est pas tout d'être mon père,
Il faut aussi me plaire.
Êtr' mon fils ce n'est pas tout,
Il faut me plaire itou.
Trouver son père sympathique,
C'est pas automatique.
Avoir un fils qui nous agrée,
Ce n'est pas assuré.

Quand on s'avise de venir
Sur terre, il faut se prémunir
Contre la tentation facile
D'être un rejeton d'imbécile.
Ne pas mettre au monde un connard,
C'est malcommode et c'est un art
Que ne pratique pas souvent
La majorité des vivants. *(Au refrain.)*

L'enfant naturel, l'orphelin
Est malheureux et je le plains,
Mais, du moins, il n'est pas tenu
Au respect d'un père inconnu.
Jésus, lui, fut plus avisé,
Et plutôt que de s'exposer
A prendre un crétin pour papa,
Il aima mieux n'en avoir pas. *(Au refrain.)*

C'est pas un compte personnel
Que je règle ; mon paternel,
Brave vieux, me plaisait beaucoup,
Était tout à fait à mon goût.
Quant à moi qui, malgré des tas
De galipettes de fada,

N'ai point engendré de petits,
J' n'ai pas pu faire d'abrutis. *(Au refrain.)*

Le sceptique

Imitant Courteline, un sceptique notoire,
Manifestant ainsi que l'on me désabuse,
J'ai des velléités d'arpenter les trottoir(e)s
Avec cette devise écrite à mon gibus :
« Je ne crois pas un mot de toutes ces histoires. »

Dieu, diable, paradis, enfer et purgatoire,
Les bons récompensés et les méchants punis,
Et le corps du Seigneur dans le fond du ciboire,
Et l'huile consacrée comme le pain bénit,
« Je ne crois pas un mot de toutes ces histoires. »

Et la bonne aventure et l'art divinatoire,
Les cartes, les tarots, les lignes de la main,
La clé des songes, le pendule oscillatoire,
Les astres indiquant ce que sera demain,
« Je ne crois pas un mot de toutes ces histoires. »

Les preuves à l'appui, les preuves péremptoires,
Témoins dignes de foi, metteurs de mains au feu,
Et le respect de l'homme à l'interrogatoire,
Et les vérités vraies, les spontanés aveux,
« Je ne crois pas un mot de toutes ces histoires. »

Le bagne, l'échafaud entre autres exutoires,
Et l'efficacité de la peine de mort,
Le criminel saisi d'un zèle expiatoire,

Qui bat sa coulpe bourrelé par le remords,
« Je ne crois pas un mot de toutes ces histoires. »

Sur les tombeaux les oraisons déclamatoires,
Les « C'était un bon fils, bon père, bon mari »,
« Le meilleur d'entre nous et le plus méritoire »,
« Un saint homme, un cœur d'or, un bel et noble
[esprit »,
« Je ne crois pas un mot de toutes ces histoires. »

Les « saint-Jean Bouche d'or », les charmeurs
[d'auditoire,
Les placements de sentiments de tout repos,
Et les billevesées de tous les répertoires,
Et les morts pour que naisse un avenir plus beau,
« Je ne crois pas un mot de toutes ces histoires. »

(Coda)

Mais j'envie les pauvres d'esprit pouvant y croire.

Retouches à un roman d'amour de quatre sous

Madame, même à quatre sous
Notre vieux roman d'amour sou-
ffrirait certes quelque mévente.
Il fut minable. Permettez
Que je garde la vérité,
La réinvente. *(bis)*
On se rencontra dans un car
Nous menant en triomphe au quart,

Une nuit de rafle à Pigalle.
Je préfère affirmer, sang bleu !
Que l'on nous présenta chez le
Prince de Galles. *(bis)*

Oublions l'hôtel mal famé,
L'hôtel borgne où l'on s'est aimé.
Taisons-le, j'aurais bonne mine.
Il me paraît plus transcendant
De situer nos ébats dans
Une chaumine. *(bis)*

Les anges volèrent bien bas,
Leurs soupirs ne passèrent pas
L'entresol, le rez-de-chaussée.
Forçons la note et rehaussons
Très au-delà du mur du son
Leur odyssée. *(bis)*

Ne laissons pas, quelle pitié !
Notre lune de miel quartier
De la zone. Je préconise
Qu'on l'ait vécue en Italie,
Sous le beau ciel de Napoli
Ou de Venise. *(bis)*

Un jour votre cœur se lassa
Et vous partîtes — passons ça
Sous silence — en claquant la porte.
Marguerite, soyons décents,
Racontons plutôt qu'en toussant
Vous êtes morte. *(bis)*

Deux années après, montre en main,
Je me consolais, c'est humain,
Avec une de vos semblables.

Je joue, ça fait un effet bœuf,
Le veuf toujours en deuil, le veuf
Inconsolable. *(bis)*

C'est la revanche du vaincu,
C'est la revanche du cocu,
D'agir ainsi dès qu'il évoque
Son histoire : autant qu'il le peut,
Il tâche de la rendre un peu
Moins équivoque. *(bis)*

Le pêcheur

On dirait un fanatique
De la cause halieutique,
Avec sa belle canne et
Son moulinet.
Mais s'il pêche, c'est pour rire,
Et l'on peut être certain
Que jamais sa poêle à frire
Vit le plus menu fretin.

La pêche, à ce qu'on raconte,
Pour lui n'est en fin de compte
Qu'un prétexte, un alibi —
On connaît pis —
Un truc, un moyen plausible
De fuir un peu son chez-soi
Où sévit la plus nuisible
Des maritornes qui soient.

Avec une joie maligne,
Il monte au bout de sa ligne

Tout un tas d'objets divers :
Des bouts de fer,
Des paillassons, des sandales,
Des vieilles chaussett's à clous,
Des noyés faisant scandale
Aussitôt qu'on les renfloue.

Si, déçu par une blonde,
Pensant faire un trou dans l'onde,
Tu tiens plus à te noyer
Qu'à te mouiller,
Désespéré, fais en sorte
D'aller piquer ton plongeon,
De peur qu'il ne te ressorte,
A l'écart de son bouchon.

Quand un goujon le taquine,
Qu'un gardon d'humeur coquine
Se laisse pour badiner
Hameçonner,
Le bonhomme lui reproche
Sa conduite puérile,
Puis à sa queue il accroche
Un petit poisson d'avril.

Mais s'il attrape une ondine,
L'une de ces gourgandines,
Femme mi-chair mi-poisson,
Le polisson —
Coup de théâtre — dévore
Tout cru le bel animal :
Une cure de phosphore
Ça peut pas faire de mal.

Quand il mourra, quand la Parque
L'emmènera dans sa barque,

En aval et en amont,
Truites, saumons,
Le crêpe à la queue sans doute,
L'escorteront chagrinés,
Laissant la rivière toute
Vide, désempoissonnée.

Lors, tombés dans la disette,
Repliant leurs épuisettes,
Tout penauds, tout pleurnicheurs,
Les vrais pêcheurs
Rentreront chez eux bredouilles
Danser devant le buffet,
Se faisant traiter d'andouilles
Par leur compagne. Bien fait !

Disques divers

Chansons de Georges Brassens
enregistrées par d'autres interprètes

Le bricoleur, enregistrée par Patachou
Vendetta, enregistrée par Christian Méry
Le myosotis, enregistrée par Sacha Distel
Le chapeau de Mireille
enregistrée par Marcel Amont
Le vieux fossile, musique de Marcel Amont,
enregistrée par Marcel Amont
Une petite Ève en trop, musique de Marcel Amont,
enregistrée par Marcel Amont
Le cœur à l'automne, paroles de Pierre Louki,
enregistrée par Pierre Louki
Charlotte ou Sarah ?, paroles de Pierre Louki,
enregistrée par Pierre Louki
Sur la mort d'une cousine de sept ans,
paroles de Hégésippe Moreau,
enregistrée par les Compagnons
de la Chanson

Le bricoleur

Pendant les rar's moments de pause,
Où il n' répar' pas quelque chose,
Il cherch' le coin disponible où
L'on peut encor planter un clou (boîte à outils). *(bis)*
Le clou qu'il enfonce à la place
Du clou d'hier, il le remplace-
ra demain par un clou meilleur,
Le même qu'avant-hier d'ailleurs.

Refrain

Mon Dieu, quel bonheur !
Mon Dieu, quel bonheur
D'avoir un mari qui bricole !
Mon Dieu, quel bonheur
D'avoir un mari bricoleur !
(Boîte à outils). *(bis)*

Au cours d'une de mes grossesses,
Devant lui je pestais sans cesse
Contre l'incroyable cherté
D'une layette de bébé (boîte à outils). *(bis)*
Mais lorsque l'enfant vint au monde,
J' vis avec une joie profonde
Qu' mon mari s'était débrouillé
Pour me le fair' tout habillé. *(Au refrain.)*

A l'heure actuelle, il fabrique
Un nouveau système électrique,
Qui va permettre à l'homme, enfin,
De fair' de l'eau avec du vin (boîte à outils). *(bis)*
Mais dans ses calculs il se trompe,
Et quand on veut boire à la pompe,
Il nous arriv' d'ingurgiter
Un grand verre d'électricité. *(Au refrain.)*

Comme il redout' que des canailles
Convoit'nt ses rabots, ses tenailles,
En se couchant, il les install'
Au milieu du lit conjugal (boîte à outils). *(bis)*
Et souvent, la nuit, je m'éveille,
En rêvant aux monts et merveilles
Qu'annonce un frôlement coquin,
Mais ce n'est qu'un vilebrequin ! *(Au refrain.)*

Vendetta

Mes pipelets sont corses tous deux,
J'eus tort en disant devant eux,
Que Tino et Napoléon
Jouaient mal de l'accordéon.
Vendetta, vendetta,
Vendetta, vendetta.

Fermement résolus d' se venger,
Mes compatriotes outragés,
S'appliquèrent avec passion
A ternir ma réputation.

Vendetta, vendetta,
Vendetta, vendetta.

Leurs coups de bec eurent c'est certain,
Sur mon lamentable destin,
Des répercussions fantastiques,
Dépassant tous les pronostics,
Vendetta, vendetta,
Vendetta, vendetta.

M'étant un jour lavé les pieds,
J'attendais la femme d'un pompier,
Sûr d'abuser d'elle à huis-clos,
J'avais compté sans ces ballots.
Vendetta, vendetta,
Vendetta, vendetta.

Comme dans le couloir il faisait nuit,
Et qu'elle ne trouvait pas mon huis,
Elle s'adressa funeste erreur,
A ma paire de dénigreurs.
Vendetta, vendetta,
Vendetta, vendetta.

Ils répondirent : Cette espèce de con-
tagieux-là, demeure au second,
Mais dès que vous sortirez de chez lui,
Courez à l'hôpital Saint-Louis.
Vendetta, vendetta,
Vendetta, vendetta.

Alors ma visiteuse à corps
Perdu, partit et court encore,
Et je dus convenir enfin
Que je m'étais lavé les pieds en vain.
Vendetta, vendetta,
Vendetta, vendetta.

Mis au fait, les pompiers de Paris,
Me clouèrent au pilori.
Ils retirèrent par précaution
Leurs femmes de la circulation.
Vendetta, vendetta,
Vendetta, vendetta.

Et tout ça, tout ça, voyez-vous
Parce qu'un jour j'ai dit à ces fous,
Que Tino et Napoléon
Jouaient mal de l'accordéon.
Vendetta, vendetta,
Vendetta, vendetta.

Le myosotis

Quand tu partis, quand
Tu levas le camp
Pour suivre les pas
De ton vieux nabab,
De peur qu' je n' sois triste,
Tu allas chez l' fleuriste
Quérir un' fleur bleue,
Un petit bouquet d'adieu,
Bouquet d'artific' ;
Un myosotis,
En disant tout bas :
Ne m'oubliez pas.

Afin d'avoir l'heur'
De parler de toi,

J'appris à la fleur
Le langag' françois.
Sitôt qu'elles causent
Paraît que les roses
Murmurent toujours
Trois ou quatre mots d'amour.
Les myosotis
Eux autres vous dis'nt,
Vous disent tout bas :
Ne m'oubliez pas.

Les temps ont passé.
D'autres fiancées,
Parole d'honneur,
M'offrir'nt le bonheur.
Dès qu'une bergère
Me devenait chère,
Sortant de son pot
Se dressant sur ses ergots
Le myosotis
Braillait comme dix
Pour dire hé là-bas :
Ne m'oubliez pas.

Un jour Dieu sait quand,
Je lèv'rai le camp,
Je m'envol'rai vers
Le ciel ou l'enfer.
Que mes légataires,
Mes testamentaires,
Aient l'extrêm' bonté,
Sur mon ventre de planter
Ce sera justic'
Le myosotis
Qui dira tout bas :
Ne m'oubliez pas.

Si tu vis encor',
Petite pécor',
Un d' ces quat' jeudis,
Viens si l' cœur t'en dit
Au dernier asile
De cet imbécile
Qui a gâché son cœur,
Au nom d'une simple fleur.
Y a neuf chanc's sur dix
Qu' le myosotis
Te dise tout bas :
Ne m'oubliez pas.

Le chapeau de Mireille

Le chapeau de Mireille,
Quand en plein vol je l'ai rattrapé,
Entre Sète et Marseille,
Quel est l' bon vent qui l'avait chipé ?
Le chapeau de Mireille,
Quand en plein vol je l'ai rattrapé,
Entre Sète et Marseille,
Quel joli vent l'avait chipé ?
C'est pas le zéphyr,
N'aurait pu suffir',
C'est pas lui non plus
L'aquilon joufflu,
C'est pas pour autant
L'autan.
Non, mais c'est le plus fol
Et le plus magistral

De la bande à Éole,
En un mot : le mistral.
Il me la fit connaître,
Aussi, dorénavant,
Je ne mouds plus mon blé
Qu'à des moulins à vent.

Quand la jupe à Mireille
Haut se troussa, haut se retroussa,
Découvrant des merveilles :
Quel est l' bon vent qui s'est permis ça ?
Quand la jupe à Mireille
Haut se troussa, haut se retroussa,
Découvrant des merveilles :
Quel joli vent s'est permis ça ?
C'est le zéphyr,
N'aurait pu suffir',
C'est pas lui non plus,
L'aquilon joufflu,
C'est pas pour autant
L'autan.
Non, mais c'est le plus fol
Et le plus magistral
De la bande à Éole,
En un mot : le mistral.
Il me montra sa jambe,
Aussi reconnaissant,
Je lui laisse emporter
Mes tuiles en passant.

Quand j'embrassai Mireille,
Qu'elle se cabra, qu'elle me rembarra,
Me tira les oreilles,
Quel est l' bon vent qui retint son bras ?
Quand j'embrassai Mireille,
Qu'elle se cabra, qu'elle me rembarra,

Me tira les oreilles,
Quel joli vent retint son bras ?
C'est pas le zéphyr,
N'aurait pu suffir',
C'est pas lui non plus
L'aquilon joufflu,
C'est pas pour autant
L'autan.
Non, mais c'est le plus fol
Et le plus magistral
De la bande à Éole,
En un mot : le mistral.
Il m'épargna la gifle,
Aussi, dessus mon toit
Y' avait un' seul' girouette ;
Y' en a maintenant trois.

Et quand avec Mireille
Dans le fossé on s'est enlacés,
A l'ombre d'une treille,
Quel est l' bon vent qui nous a poussés ?
Et quand avec Mireille
Dans le fossé on s'est enlacés,
A l'ombre d'une treille,
Quel joli vent nous a poussés ?
C'est pas le zéphyr,
N'aurait pu suffir',
C'est pas lui non plus
L'aquilon joufflu,
C'est pas pour autant
L'autan.
Non, mais c'est le plus fol
Et le plus magistral
De la bande à Éole,
En un mot : le mistral.
Il me coucha sur elle,

En échange aussitôt
Je mis un' voil' de plus
A mon petit bateau.

Quand j'ai perdu Mireille,
Que j'épanchai le cœur affligé
Des larmes sans pareilles,
Quel est l' bon vent qui les a séchées ?
Quand j'ai perdu Mireille,
Que j'épanchai le cœur affligé
Des larmes sans pareilles,
Quel joli vent les a séchées ?
C'est pas le zéphyr,
N'aurait pu suffir',
C'est pas lui non plus
L'aquilon joufflu,
C'est pas pour autant
L'autan,
Non, mais c'est le plus fol
Et le plus magistral
De la bande à Éole,
En un mot : le mistral.
Il balaya ma peine
Aussi, sans lésiner
Je lui donne toujours

(Coda)

Mes bœufs à décorner.

Le vieux fossile

Paroles de Georges Brassens
Musique de Marcel Amont

Quand ell' passe avec ses appas,
Et qu'on ne la contemple pas,
On est un mufle un esprit bas,
Un vieux fossile.
Mais qu'on la dévore des yeux,
On est un pourceau malicieux.
Pour lui complaire justes cieux
C'est difficile.

Quand on ne lui fait pas la cour,
Pas le moindre galant discours,
On est un mufle sans recours,
Un vieux fossile.
Qu'on lui tienn' des propos flatteurs,
On est un fourbe un séducteur,
Pour être juste à sa hauteur,
C'est difficile.

Quand on néglige de poser,
Sur sa bouche en cœur un baiser,
On est un mufle renforcé,
Un vieux fossile.
Qu'on aille lui sauter au cou
On récolte un' moisson de coups.
Pour faire une chose à son goût,
C'est difficile.

Quand pétri de bons sentiments,
On l'aime platoniquement,
On est un mufle un garnement,

Un vieux fossile.
Qu'on lui manque un peu de respect,
D'être un faune on devient suspect,
Avec elle pour être en paix,
C'est difficile.

Quand étant passé sur son corps,
L'on s'enfuit et l'on court encore,
On est un mufle de record,
Un vieux fossile.
Qu'on veuille vivre à ses côtés
Ell' crie « vive la liberté ».
Tomber juste à la vérité,
C'est difficile.

Quand elle attente à la vertu,
Qu'elle nous trompe et qu'on la tue,
On est un mufle un être obtus,
Un vieux fossile.
Qu'on pardonne, on est à l'instant
Plat vil cocu battu content.
Pour n'être pas à contretemps,
C'est difficile.

Ceci dit belles je vous l'avoue
Le chemin qui mène vers vous
J' le suivrai toujours tel un fou
Digne d'asile.
En vous faisant toujours crédit,
Car il est naturel pardi,
Que le chemin du paradis } *(bis)*
Soit difficile. }

Une petite Ève en trop

Paroles de Georges Brassens
Musique de Marcel Amont

Bien que je ne sois pas de la côte d'Adam,
Je vis seul sur la terre et c'est débilitant
Débilitant.
Au sein de mon foyer, pas l'ombre d'un grillon,
Jamais le plus léger frou-frou de cotillon,
Un amour de p'tite Ève avec de longs cheveux,
Qui filerait la laine assise au coin du feu,
Qui partag'rait ma joie et ma mélancolie,
Qui m'aiderait à faire et défaire mon lit.

Refrain

Personne pour m'aider à porter mon cœur gros ?
Le ciel n'aurait-il pas une petite Ève en trop ?
Personne pour m'aider à porter mon cœur gros ?
Le ciel n'aurait-il pas une petite Ève en trop ?
Une petite Ève en trop ?

Bien longues sont les nuits que l'on passe tout seul,
Le drap le plus douillet ressemble à un linceul,
A un linceul.
Et pour peu qu'on n'ait pas la nature d'un saint,
On se prend à rêver de la femme du voisin.
J'en ferai pas ma bonne et mon souffre-douleur.
Je ne la battrai pas, même avec une fleur,
Au plus de temps en temps, et sauf votre respect,
Jusqu'à froisser sa robe je pouss'rai le toupet. *(Au refrain.)*

J'ajoute à ce propos qu'il n' me déplairait pas
Qu'aux alentours du cœur elle eut quelques appas.

Quelques appas.
Quand les fruits du pommier ne sont plus de saison,
Heureux qui croque encore la pomme à la maison.
Par avance Seigneur je vous en remercie.
Donnez-moi vite une compagne, même si
De l'une de mes côtes il faut faire les frais.
Maintenant, j'en suis plus à une côte près ! *(Au refrain.)*

Le cœur à l'automne

Paroles de Pierre Louki
Musique de Georges Brassens

Quand la musique entra chez moi — que nul ne
[s'étonne —
J'avais, ça m'arrive parfois, le cœur à l'automne.
C'était un air en demi-teinte,
Mi-joie et moitié plainte.
Je lui ai dit : « Le temps est fou,
Le vent du dehors vous chiffonne.
Étendez-vous donc sur mon magnétophone
Et reposez-vous. »

Je n'avais ouï de longtemps musique pareille.
Je n'en croyais en l'écoutant mes grandes oreilles.
Elle me dit : « J'ai quitté mon maître,
Un saut par la fenêtre.
Il me gardait depuis cinq ans
En me promettant des paroles.
J'étais nue et nue ça n'est pas toujours drôle.
J'ai foutu le camp. »

Moi qui suis un peu parolier, jugez de l'aubaine.
« Je peux, dis-je, vous habiller. Oubliez vos peines.
Je sais les mots faits pour vous plaire
Et j'ai deux dictionnaires. »
Elle répondit : « Va pour l'essai.
Vous me paraissez brave type.
Lui aussi l'était mais il fumait la pipe,
Ça m' faisait tousser. »

Et la mélodie envolée d'une autre guitare,
Avec mes mots s'est installée dans mon répertoire.
Et bien que je sois sans moustaches,
A moi elle s'attache.
Et les soirs où je me sens vieux,
Lorsque j'ai le cœur à l'automne,
Elle insiste un peu pour que je la chantonne.
Alors ça va mieux.

Charlotte ou Sarah ?

Paroles de Pierre Louki
Musique de Georges Brassens

N'ayant pas connu l'amour depuis plus de vingt ans
J'avais, disons, le cœur en veilleuse.
Pourtant j'ai du sex-appeal et je suis bien portant,
Mais pas de Juliette pour autant.
Et voilà que dans ma vie tombent en même temps
Deux créatures ensorceleuses.
Mais deux à la fois c'est beaucoup pour un débutant,
Pardonnez si je suis hésitant.

Je n' sais pas
Si je dois baiser Charlotte
Ou embras-
ser Sarah.
Charlotte a
De délicieuses culottes,
Sarah a de beaux bras.
Je n' sais pas
Si Charlotte sans culotte
Est mieux qu' Sa-
rah sans bras.
Si c'est la
Culotte qui me pilote
Voyez mon embarras.
Je n' peux pas dire que je n'aime pas Sarah à cause
[des culottes qu'elle n'a pas.
Mais j' peux pas soutenir de même que Charlotte ne
[me plaît pas à cause des bras de Sarah.

Dans mon cas
Comment faire saperlotte ?
Si je choi-
sis Sarah,
Dans ses bras
La culotte de Charlotte
Pour sûr me manquera.
Plus je rêve de cueillir ces fruits d'amour charmants
Et plus j'appréhende la cueillette.
Me faudra-t-il les honorer simultanément
Et comment m'en sortir autrement ?
Si je peux offrir mon cœur à chacune en donnant
Un ventricule et une oreillette,
Il est d'autres attributs que je ne puis vraiment
Détailler inconsidérément.

Je n' sais pas
Si je dois chasser Charlotte
Ou rembar-
rer Sarah.
Que fera
La culotte de Charlotte
Si Sarah baisse les bras ?
Et si Sa-
rah veut porter la culotte,
Qu'est-c' que Char-
lotte dira ?
Car si Char-
lotte a beaucoup de culottes,
Sarah n'a que deux bras.
Bien sûr Charlotte m'asticote, pour un cœur tant
[et tant de culottes, tentation !
Oui mais Sarah est polyglotte, une polyglotte sans
[culotte c'est bien pour la conversation.

Me faudra-
t-il me donner à Charlotte
Et Sarah
A la fois ?
Gare à moi,
Si deux souris me pelotent,
Je suis fait comme un rat.
Je n' sais pas
Si je dois baiser Charlotte
Ou embras-
ser Sarah
Charlotte a
De délicieuses culottes,
Sarah a de beaux bras.

Sur la mort d'une cousine de sept ans

Poème d'Hégésippe Moreau.

Hélas, si j'avais su lorsque ma voix qui prêche
T'ennuyait de leçons, que sur toi rose et fraîche
L'oiseau noir du malheur planait inaperçu,
Que la fièvre guettait sa proie et que la porte
Où tu jouais hier te verrait passer morte,
Hélas, si j'avais su !

Enfant, je t'aurais fait l'existence bien douce,
Sous chacun de tes pas j'aurais mis de la mousse.
Tes ris auraient sonné chacun de tes instants
Et j'aurais fait tenir dans ta petite vie
Des trésors de bonheur immense à faire envie
Aux heureux de cent ans.

Loin des bancs où pâlit l'enfance prisonnière,
Nous aurions fait tous deux l'école buissonnière.
Au milieu des parfums et des champs d'alentour
J'aurais vidé les nids pour emplir ta corbeille
Et je t'aurais donné plus de fleurs qu'une abeille
N'en peut voir en un jour.

Puis, quand le vieux janvier les épaules drapées
D'un long manteau de neige et suivi de poupées,
De magots, de pantins, minuit sonnant accourt,
Parmi tous les cadeaux qui pleuvent pour étrennes,
Je t'aurais faite asseoir comme une jeune reine
Au milieu de sa cour.

Mais je ne savais pas et je prêchais encore,
Sûr de ton avenir, je le pressais d'éclore,

Quand tout à coup pleurant un pauvre espoir déçu,
De ta petite main j'ai vu tomber le livre,
Tu cessas à la fois de m'entendre et de vivre.
Hélas, si j'avais su ! Hélas, si j'avais su !

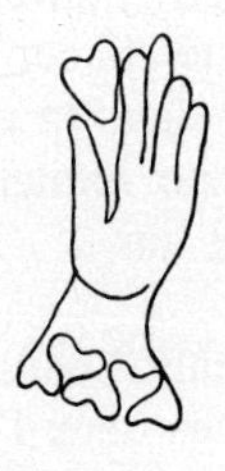

Paroles et musiques de Georges Brassens

non interprétées

Les radis
La file indienne
Jean rentre au village

Les radis

Chacun sait qu'autrefois les femm's convaincues d'adultère
Se voyaient enfoncer dans un endroit qu'il me faut taire
Par modestie...
Un énorme radis.

Or quand j'étais tout gosse, un jour de foire en mon
[village,
J'eus la douleur de voir punir d'une épouse volage
La perfidie,
Au moyen du radis.

La malheureuse fut traînée sur la place publique
Par le cruel cornard armé du radis symbolique,
Ah ! sapristi,
Mes aïeux quel radis !

Vers la pauvre martyre on vit courir les bonn's épouses
Qui, soit dit entre nous, de sa débauche étaient jalouses.
Je n'ai pas dit :
Jalouses du radis.

Si j'étais dans les rangs de cette avide et basse troupe,
C'est qu'à cette époqu'-là j' n'avais encor' pas vu
[de croupe
Ni de radis,
Ça m'était interdit.

Le cornard attendit que le forum fût noir de monde
Pour se mettre en devoir d'accomplir l'empal'ment immonde,
Lors il brandit
Le colossal radis.

La victime acceptait le châtiment avec noblesse,
Mais il faut convenir qu'elle serrait bien fort les fesses
Qui, du radis,
Allaient être nanties.

Le cornard mit l' radis dans cet endroit qu'il me faut taire,
Où les honnêtes gens ne laiss'nt entrer que des clystères.
On applaudit
Les progrès du radis.

La pampe du légume était seule à présent visible,
La plante était allée jusqu'aux limites du possible,
On attendit
Les effets du radis.

Or, à l'étonnement du cornard et des gross's pécores
L'empalée enchantée criait : « Encore, encore, encore,
Hardi hardi,
Pousse le radis, dis ! »

Ell' dit à pleine voix : « J' n'aurais pas cru qu'un tel
[supplice
Pût en si peu de temps me procurer un tel délice !
Mais les radis
Mènent en paradis ! »

Ell' n'avait pas fini de chanter le panégyrique
Du légume en question que toutes les pécor's lubriques
Avaient bondi
Vers les champs de radis.

L'œil fou, l'écume aux dents, ces furies se jetèr'nt en
[meute
Dans les champs de radis qui devinrent des champs
[d'émeute.
Y' en aura-t'y
Pour toutes, des radis ?

Ell's firent un désastre et laissèrent loin derrière elles
Les ravages causés par les nuées de sauterelles.
Dans le pays,
Plus l'ombre d'un radis.

Beaucoup de maraîchers constatèrent qu'en certain
[nombre
Il leur manquait aussi des betterav's et des concombres
Raflés pardi
Comme de vils radis.

Tout le temps que dura cette manie contre nature,
Les innocents radis en vir'nt de vert's et de pas mûres,
Pauvres radis,
Héros de tragédie.

Lassés d'être enfoncés dans cet endroit qu'il me faut
[taire,
Les plus intelligents de ces légumes méditèrent.
Ils se sont dit :
« Cessons d'être radis ! »

Alors les maraîchers semant des radis récoltèrent
Des melons, des choux-fleurs, des artichauts,
[des pomm's de terre
Et des orties,
Mais pas un seul radis

A partir de ce jour, la bonne plante potagère
Devint dans le village une des denrées les plus chères :
Plus de radis
Pour les gagne-petit.

Certain's pécor's futées dir'nt sans façons : « Nous,
[on s'en fiche
De cette pénurie, on emploie le radis postiche
Qui garantit
Du manque de radis. »

La mode du radis réduisant le nombre de mères
Qui donnaient au village une postérité, le maire,
Dans un édit
Prohiba le radis.

Un crieur annonça : « Toute femme prise à se mettre
Dans l'endroit réservé au clystère et au thermomètre
Même posti-
che un semblant de radis

Sera livrée aux mains d'une maîtresse couturière
Qui, sans aucun délai, lui faufilera le derrière
Pour interdi-
re l'accès du radis. »

Cette loi draconienne eut raison de l'usage louche
D'absorber le radis par d'autres voies que par la bouche,
Et le radis,
Le légume maudit,

Ne fut plus désormais l'instrument de basses manœuvres
Et n'entra plus que dans la composition des hors-d'œuvre
Qui, à midi,
Aiguisent l'appétit.

La file indienne

Un chien caniche à l'œil coquin,
Qui venait de chez son béguin,
Tortillant de la croupe et claquettant de la semelle,
Descendait, en s' poussant du col,
Le boul'vard de Sébastopol,
Tortillant de la croupe et redoublant le pas.

Une midinette en repos,
Se plut à suivre le cabot,
Tortillant de la croupe et claquettant de la semelle,
Sans voir que son corps magnétique
Entraînait un jeune loustic,
Tortillant de la croupe et redoublant le pas.

Or, l'amante de celui-ci
Jalouse le suivait aussi,
Tortillant de la croupe et claquettant de la semelle,
Et l' vieux mari de celle-là,
La talonnait de ses pieds plats,
Tortillant de la croupe et redoublant le pas.

Un dur balafré courait sus
Au vieux qu'il prenait pour Crésus,
Tortillant de la croupe et claquettant de la semelle,
Et derrièr' le dur balafré
Marchait un flic à pas feutrés,
Tortillant de la croupe et redoublant le pas.

Et tous, cabot, trottin, loustic,
Épouse, époux, et dur et flic,
Tortillant de la croupe et claquettant de la semelle,
Descendaient à la queue leu-leu
Le long boul'vard si populeux,
Tortillant de la croupe et redoublant le pas.

Voilà que l'animal, soudain,
Profane les pieds du trottin,
Tortillant de la croupe et claquettant de la semelle,
Furieus' ell' flanque avec ferveur
Un' pair' de gifles à son suiveur,
Tortillant de la croupe et redoublant le pas.

Celui-ci la tête à l'envers
Voit la jalous' l'œil grand ouvert,
Tortillant de la croupe et claquettant de la semelle,
Et l'abreuv' d'injur's bien senties,
Que j' vous dirai à la sortie.
Tortillant de la croupe et redoublant le pas.

Derrièr' arrivait le mari,
Ce fut à lui qu'elle s'en prit,
Tortillant de la croupe et claquettant de la semelle,
En le traitant d'un' voix aiguë
De tambour major des cocus.
Tortillant de la croupe et redoublant le pas.

Le mari rebroussant chemin
Voit le dur et lui dit « gamin »
Tortillant de la croupe et claquettant de la semelle,
C'est trop tard pour me détrousser,
Ma femme vous a devancé.
Tortillant de la croupe et redoublant le pas.

Le dur vexé de fair' chou blanc
Dégaine un couteau rutilant,
Tortillant de la croupe et claquettant de la semelle,
Qu'il plante à la joie du public,
A travers la carcass' du flic,
Tortillant de la croupe et redoublant le pas.

Et tous, bandit, couple, loustic,
Trottin, cabot, tous, le flic,
Tortillant de la croupe et claquettant de la semelle,
Suivir'nt à la queue leu-leu
L'enterrement du flic parbleu,
Tortillant de la croupe et redoublant le pas. *(bis)*

Jean rentre au village

Jean rentre au village
Son père chercher,
Le cherche trois heures,
Où s'est-il caché ?

Mais un brave cœur lui dit :
Ton papa pauvre petit,
Il est en hospice,
Le bon Dieu n'est pas gentil.

Jean va t'en hospice
Son père chercher.
Le cherche trois heures,
Où s'est-il caché ?

Mais un brave cœur lui dit :
Ton papa pauvre petit
L'est déjà t'en morgue,
Le bon Dieu n'est pas gentil.

Jean s'en va t'en morgue
Son père chercher,
Le cherche trois heures,
Où s'est-il caché ?

Mais un brave cœur lui dit :
Ton papa pauvre petit
L'est déjà t'en bière,
Le bon Dieu n'est pas gentil.

Jean s'en va t'en bière
Son père chercher,
Le cherche trois heures,
Où s'est-il caché ?

Mais un brave cœur lui dit :
Ton papa pauvre petit
L'est déjà t'en route,
Le bon Dieu n'est pas gentil.

Jean s'en va t'en route
Son père chercher,
Le cherche trois heures,
Où s'est-il caché ?

Mais un brave cœur lui dit :
Ton papa pauvre petit
L'est déjà t'en terre,
Le bon Dieu n'est pas gentil.

Jean s'en va t'en terre
Son père chercher,
Le cherche trois heures,
Où s'est-il caché ?

Mais un brave cœur lui dit :
Ton papa pauvre petit
L'est déjà t'en cendres,
Le bon Dieu n'est pas gentil.

Paroles sans musique

Le progrès
Le cauchemar
Le mérinos
Honte à qui peut chanter
L'arc-en-ciel d'un quart d'heure
Les châteaux de sable
Tant qu'il y a des Pyrénées
Chansonnette à celle qui reste pucelle
Si seulement elle était jolie
Le pince-fesses
Le revenant
La guerre
Les illusions perdues
L'inestimable sceau
Je bivouaque au pays de Cocagne
C'était un peu leste
L'antéchrist
Jeanne Martin
Discours de fleurs
Les orphelins
La Légion d'honneur

Le progrès

Que le progrès soit salutaire,
C'est entendu, c'est entendu.
Mais ils feraient mieux de se taire,
Ceux qui dis'nt que le presbytère
De son charme du vieux temps passé n'a rien perdu,
N'a rien perdu.

Supplantés par des betteraves,
Les beaux lilas ! les beaux lilas !
Sans mentir, il faut être un brave
Fourbe pour dire d'un ton grave,
Que le jardin du curé garde tout son éclat,
Tout son éclat.

Entre les tours monumentales
Toujours croissant, toujours croissant,
Qui cherche sa maison natale
Se perd comme dans un dédale.
Au mal du pays, plus aucun remède à présent,
Remède à présent.

C'est de la malice certaine,
C'est inhumain ! c'est inhumain !
Ils ont asséché la fontaine
Où, les belles Samaritaines
Nous faisaient boire, en été, l'eau fraîche dans leurs mains,
Fraîche dans leurs mains.

Ils ont abattu, les vandales,
Et sans remords, et sans remords,
L'arbre couvert en capitales
De noms d'amants. C'est un scandale !
Les amours mortes n'ont plus de monuments aux morts,
Monuments aux morts.

L'a fait des affaires prospères,
Le ferrailleur, le ferrailleur,
En fauchant les vieux réverbères.
Maintenant quand on désespère,
On est contraint et forcé d'aller se pendre ailleurs,
Se pendre ailleurs.

Et c'est ce que j'ai fait sur l'heure,
Et sans délai, et sans délai.
Le coq du clocher n'est qu'un leurre,
Une girouette de malheur(e).
Ingrate patrie, tu n'auras pas mes feux follets,
Mes feux follets.

Que le progrès soit salutaire,
C'est entendu, c'est entendu.
Mais ils feraient mieux de se taire,
Ceux qui dis'nt que le presbytère
De son charme du vieux temps passé n'a rien perdu,
N'a rien perdu.

Le cauchemar

Sa majesté n'avait pas l'air d'un Cypriote,
D'un Belge, un Suisse, un Écossais,
Mais tout bonn'ment hélas ! d'un d' nos compatriotes :
Dans mon rêve le roi des cons était français.

Quand un olibrius portait une couronne,
Tous en chœur on applaudissait,
Nous les fiers descendants du général Cambronne :
Dans mon rêve où le roi des cons était français.

Et tous comme un seul homme, on courait à l'embauche
Dès qu'un botteur de culs passait,
Tendant les miches à droite, tendant les miches à gauche :
Dans mon rêve où le roi des cons était français.

Dupont, Durand, Dubois, Duval, Dupuis, Duchêne,
A nos fusils la fleur poussait,
Toujours prêts à nous fair' descendre à la prochaine :
Dans mon rêve où le roi des cons était français.

On prenait la Bastille, et la chose étant faite,
Sur la plac' publique on dansait,
Pour en bâtir une autre à la fin de la fête :
Dans mon rêve où le roi des cons était français.

Entre deux coups de chien, on s'occupait de fesses,
On s'embrassait, on s'enlaçait,
Afin que des cocus continuât l'espèce :
Dans mon rêve où le roi des cons était français.

Quand je sautai du lit, que j'entendis la somme
De balivernes qui florissaient,
J'eus comme l'impression d'êt' pas sorti d' mon somme,
De mon rêve où le roi des cons était français.

Sa majesté n'avait pas l'air d'un Cypriote,
D'un Belge, un Suisse, un Écossais,
Mais tout bonn'ment hélas d'un d' nos compatriotes :
Dans mon rêve le roi des cons était français.

Le mérinos

Oh non ! Tu n'es pas à la noce
Ces temps-ci, pauvre vieux mérinos
Si le Rhône est empoisonné,
C'est toi qu'on veut incriminer.
Les poissons morts, on te les doit,
Bête damnée, à cause de toi,
Tous les abreuvoirs sont croupis
Et les poules ont la pépie.

C'est moi qui suis l'enfant de salaud,
Celui-là qui fait des ronds dans l'eau,
Mais comme j'ai pas mal de culot,
Je garde la tête bien haute.
Car si l'eau qui coule sous les ponts
D'Avignon, Beaucaire et Tarascon,
N'a pas toujours que du bon
Mon Dieu ! c'est pas ma faute.

Plus de naïades chevelues,
Et plus de lavandières non plus,
Tu fais sombrer sans t'émouvoir
L'armada des bateaux-lavoirs.
Et le curé de Cucugnan
Baptise le monde en se plaignant

Que les eaux de son bénitier
Ne protègent plus qu'à moitié.

A la fontaine de Vaucluse,
Plus moyen de taquiner les muses :
Vers d'autres bords elles ont fui
Et les Pétrarques ont suivi.
Si la fontaine de jouvence
Ne fait plus de miracles en Provence,
Lave plus l'injure du temps,
C'est ton œuvre gros dégoûtant !

Oh non ! Tu n'es pas à la noce
Ces temps-ci, pauvre vieux mérinos,
On veut te mettre le fardeau
Des plaies d' l'Égypte sur le dos.
On te dénie le sens civique
Mais calme, fier, serein, magnifique,
Tu traites tout ça par-dessous
La jambe. Et puis baste ! Et puis zou !

Honte à qui peut chanter

En mil neuf cent trent' sept que faisiez-vous mon cher ?
J'avais la fleur de l'âge et la tête légère,
Et l'Espagne flambait dans un grand feu grégeois.
Je chantais et j'étais pas le seul « Y' a d' la joie ».

Refrain

Honte à cet effronté qui peut chanter pendant
Que Rome brûle, ell' brûl' tout l' temps...

Honte à qui malgré tout fredonne des chansons
A Gavroche, à Mimi Pinson.

Et dans l'année quarante mon cher que faisiez-vous ?
Les Teutons forçaient la frontière, et comme un fou,
Et comm' tout un chacun, vers le sud, je fonçais,
En chantant « Tout ça, ça fait d'excellents Français »
[*(Au refrain.)*

A l'heure de Pétain, à l'heure de Laval,
Que faisiez-vous mon cher en plein dans la rafale ?
Je chantais, et les autres ne s'en privaient pas,
« Bel ami », « Seul ce soir », « J'ai pleuré sur tes pas ».
[*(Au refrain.)*

Mon cher, un peu plus tard, que faisait votre glotte
Quand en Asie ça tombait comme à Gravelotte ?
Je chantais, il me semble, ainsi que tout un tas
De gens, « Le déserteur », « Les croix », « Quand un
[soldat ». *(Au refrain.)*

Que faisiez-vous mon cher au temps de l'Algérie,
Quand Brel était vivant qu'il habitait Paris ?
Je chantais, quoique désolé par ces combats,
« La valse à mille temps » et « Ne me quitte pas ».
[*(Au refrain.)*

Le feu de la ville éternelle est éternel.
Si Dieu veut l'incendie il veut les ritournelles.
A qui fera-t-on croir' que le bon populo,
Quand il chante quand même, est un parfait salaud ?
[*(Au refrain.)*

L'arc-en-ciel d'un quart d'heure

Cet arc-en-ciel qui nous étonne,
Quand il se lève après la pluie,
S'il insiste, il fait monotone
Et l'on se détourne de lui.
L'adage a raison : la meilleure
Chose en traînant se dévalue.
L'arc-en-ciel qui dure un quart d'heure
Personne ne l'admire plus.
L'arc-en-ciel qui dure un quart d'heure
Est superflu.

Celui que l'aura populaire
Avait mis au gouvernail quand
Il fallait sauver la galère
En détresse dans l'ouragan,
Passé péril en la demeure
Ne fut même pas réélu.
L'arc-en-ciel qui dure un quart d'heure
Personne ne l'admire plus.
L'arc-en-ciel qui dure un quart d'heure
Est superflu.

Cette adorable créature
Me répétait : « Je t'aime tant
Qu'à ta mort, sur ta sépulture,
Je me brûle vive à l'instant ! »
A mon décès, l'ordonnateur(e)
Des pompes funèbres lui plut.
L'arc-en-ciel qui dure un quart d'heure
Personne ne l'admire plus.
L'arc-en-ciel qui dure un quart d'heure
Est superflu.

Ce cabotin naguère illustre,
Et que la foule applaudissait
A tout rompre durant trois lustres,
Nul à présent ne sait qui c'est;
Aucune lueur ne demeure
De son étoile révolue.
L'arc-en-ciel qui dure un quart d'heure
Personne ne l'admire plus.
L'arc-en-ciel qui dure un quart d'heure
Est superflu.

Les châteaux de sable

Je chante la petite guerre
Des braves enfants de naguère
Qui sur la plage ont bataillé
Pour sauver un château de sable
Et ses remparts infranchissables
Qu'une vague allait balayer.

J'en étais : l'arme à la bretelle,
Retranchés dans la citadelle,
De pied ferme nous attendions
Une cohorte sarrazine
Partie de la côte voisine
A l'assaut de notre bastion.

A cent pas de là sur la dune,
En attendant que la fortune
Des armes sourie aux vainqueurs,
Languissant d'être courtisées
Nos promises, nos fiancées
Préparaient doucement leur cœur.

Tout à coup l'Armada sauvage
Déferla sur notre rivage
Avec ses lances, ses pavois,
Pour commettre force rapines,
Et même enlever nos Sabines
Plus belles que les leurs, ma foi.

La mêlée fut digne d'Homère,
Et la défaite bien amère,
A l'ennemi pourtant nombreux,
Qu'on battit à plate couture,
Qui partit en déconfiture
En déroute, en sauve-qui-peut.

Oui, cette horde de barbares
Que notre fureur désempare
Fit retraite avec ses vaisseaux,
En n'emportant pour tous trophées,
Moins que rien, deux balles crevées,
Trois raquettes, quatre cerceaux.

Après la victoire fameuse
En chantant l'air de « Sambre et Meuse »
Et de la « Marseillaise », ô gué,
On courut vers la récompense
Que le joli sexe dispense
Aux petits héros fatigués.

Tandis que tout bas à l'oreille
De nos Fanny, de nos Mireille,
On racontait notre saga,
Qu'au doigt on leur passait la bague,
Surgit une espèce de vague
Que personne ne remarqua.

Au demeurant ce n'était qu'une
Vague sans amplitude aucune,
Une vaguelette égarée,
Mais en atteignant au rivage
Elle causa plus de ravages,
De dégâts, qu'un raz de marée.

Expéditive, la traîtresse
Investit notre forteresse,
La renversant, la détruisant.
Adieu donjon, tours et courtines,
Que quatre gouttes anodines
Avaient effacés en passant.

A quelque temps de là nous sommes
Allés mener parmi les hommes
D'autres barouds plus décevants
Allés mener d'autres campagnes,
Où les châteaux sont plus d'Espagne,
Et de sable qu'auparavant.

Quand je vois lutter sur la plage
Des soldats à la fleur de l'âge,
Je ne les décourage pas,
Quoique je sache ayant naguère
Livré moi-même cette guerre
L'issue fatale du combat.

Je sais que malgré leur défense,
Leur histoire est perdue d'avance.
Mais je les laisse batailler,
Pour sauver un château de sable
Et ses remparts infranchissables,
Qu'une vague va balayer.

Tant qu'il y a des Pyrénées

Frapper le gros Mussolini,
Même avec un macaroni,
Le Romain qui jouait à ça
Se voyait privé de pizza.
Après le Frente Popular,
L'hidalgo non capitulard
Qui s'avisait de dire « niet »
Mourait au son des castagnettes.

Refrain

J'ai conspué Franco la fleur à la guitare
Durant pas mal d'années ; *(bis)*
Faut dire qu'entre nous deux, simple petit détail
Y' avait les Pyrénées ! *(bis)*
S'engager par le mot, trois couplets un refrain,
Par le biais du micro, *(bis)*
Ça s' fait sur une jambe et ça n'engage à rien,
Et peut rapporter gros. *(bis)*

Qui crachait sur la croix gammée,
Dans une mine était sommé
De descendre extraire du sel
Pour assaisonner les Bretzels.
Avant que son jour ne décline,
Qui s'élevait contre Staline
Filait manu militari
Aux sports d'hiver en Sibérie. *(Au refrain.)*

Aux quatre coins du monde encore,
Qui se lève et crie : « Pas d'accord ! »
En un tournemain se fait cou-
per le sifflet, tordre le cou.

Dans mon village, on peut à l'heure
Qu'il est, sans risque de malheur,
Brandir son drapeau quel qu'il soit,
Mais jusques à quand ? Chi lo sa ? *(Au refrain.)*

Chansonnette à celle qui reste pucelle

Jadis la mineure
Perdait son honneur(e)
Au moindre faux pas
Ces mœurs n'ont plus cours de
Nos jours c'est la gourde
Qui ne le fait pas.

Toute ton école,
Petite, rigole
Qu'encore à seize ans
Tu sois vierge et sage,
Fidèle à l'usage
Caduc à présent.

Malgré les exemples
De gosses, plus ample
Informé que toi,
Et qu'on dépucelle
Avec leur crécelle
Au bout de leurs doigts.

Chacun te brocarde
De ce que tu gardes

Ta fleur d'oranger,
Pour la bonne cause,
Et chacun glose
De tes préjugés.

Et tu sers de cible
Mais reste insensible
Aux propos moqueurs,
Aux traits à la gomme.
Comporte-toi comme
Te le dis ton cœur.

Quoi que l'on raconte,
Y' a pas plus de honte
A se refuser,
Ni plus de mérite
D'ailleurs, ma petite
Qu'à se faire baiser.

Facultatifs

Certes, si te presse
La soif de caresses,
Cours, saute avec les
Vénus de Panurge.
Va, mais si rien n'urge,
Faut pas t'emballer.

Mais si tu succombes,
Sache surtout qu'on
Peut être passée par
Onze mille verges,
Et demeurer vierge,
Paradoxe à part.

Si seulement elle était jolie

Si seul'ment elle était jolie
Je dirais : « Tout n'est pas perdu.
Elle est folle, c'est entendu,
Mais quelle beauté accomplie ! »
Hélas elle est plus laide bientôt
Que les sept péchés capitaux.

Si seul'ment elle avait des formes,
Je dirais : « Tout n'est pas perdu,
Elle est moche, c'est entendu,
Mais c'est Vénus, copie conforme. »
Malheureus'ment, c'est désolant,
C'est le vrai squelette ambulant.

Si seul'ment elle était gentille,
Je dirais : « Tout n'est pas perdu,
Elle est plate, c'est entendu,
Mais c'est la meilleure des filles. »
Malheureus'ment c'est un chameau,
Un succube, tranchons le mot.

Si elle était intelligente,
Je dirais : « Tout n'est pas perdu,
Elle est vache, c'est entendu,
Mais c'est une femme savante. »
Malheureus'ment elle est très bête
Et tout à fait analphabète.

Si seul'ment l'était cuisinière,
Je dirais : « Tout n'est pas perdu,
Elle est sotte, c'est entendu,
Mais quelle artiste culinaire ! »
Malheureusement sa chère m'a
Pour toujours gâté l'estomac.

Si seulement elle était fidèle,
Je dirais : « Tout n'est pas perdu,
Elle m'empoisonn', c'est entendu,
Mais c'est une épouse modèle. »
Malheureus'ment elle est, papa,
Folle d'un cul qu'elle n'a pas !

Si seul'ment l'était moribonde,
Je dirais : « Tout n'est pas perdu,
Elle me trompe, c'est entendu,
Mais elle va quitter le monde. »
Malheureus'ment jamais ell' tousse :
Elle nous enterrera tous !

Les pince-fesses

Pour deux ou trois chansons, lesquell's je le confesse
Sont discutables sous le rapport du bon goût,
J'ai la réputation d'un sacré pince-fesses
Mais c'est une légende, et j'en souffre beaucoup.

Refrain

Les fesses, ça me plaît, je n' crains pas de le dire,
Sur l'herbe tendre j'aime à les faire bondir.
Dans certains cas, je vais jusqu'à les botter mais
Dieu m'est témoin que je ne les pince jamais.

En me voyant venir, femmes, filles, fillettes,
Au fur et à mesure avec des cris aigus,
Courent mettre en lieu sûr leurs fesses trop douillettes,
Suivies des jeunes gens aux rondeurs ambiguës.

Quand une bonne sœur m'invite entre deux messes
A lui pincer la croupe infidèle à Jésus,
Pour chasser le démon qui habite ses fesses,
Je lui vide un grand verre d'eau bénite dessus.

En revanch', si la même enlevant son cilice
Et me montrant ses reins me dit : « J'ai mal ici :
Embrassez-moi, de grâce arrêtez mon supplice ! »
Je m'exécute en parfait chrétien que je suis.

Quand me courant après, la marchande d'hosties
Me prie d'épousseter les traces que les doigts
Des mitrons ont laissées sur sa chair rebondie,
Je la brosse : un Français se doit d'être courtois !

Et quand, à la kermesse, un' belle pratiquante
M'appelle à son secours pour s'être enfoncé dans
Sa fesse maladroite une herbe un peu piquante,
Je ne ménage ni mes lèvres ni mes dents.

Cert's, un jour, j'ai pincé l'éminence charnue
A une moribonde afin de savoir si
Elle vivait encore : une gifle est venue
Me prouver qu'elle n'était qu'en catalepsie.

Enfin, si désormais quelqu'une de vos proches
Affirme en vous montrant son cul couvert de bleus,
Qu' c'est moi qui les ai faits, avec mes pattes croches,
En doute révoquez ses propos scandaleux.

Le revenant

Calme, confortable, officiel,
En un mot résidentiel,
Tel était le cimetière où
Cet imbécile avait son trou.

Comme il ne reconnaissait pas
Le bien-fondé de son trépas,
L'a voulu faire — aberration ! —
Sa petite résurrection.

Les vieux morts, les vieux « ici-gît »,
Les braves sépulcres blanchis,
Insistèrent pour qu'il revînt
Sur sa décision mais en vain.

L'ayant astiquée, il remit
Sur pied sa vieille anatomie,
Et tout pimpant, tout satisfait,
Prit la clef du champ de navets.

Chez lui s'en étant revenu,
Son chien ne l'a pas reconnu
Et lui croque en deux coups de dents
Un des os les plus importants.

En guise de consolation,
Pensa faire une libation,
Boire un coup de vin généreux,
Mais tous ses tonneaux sonnaient creux.

Quand dans l'alcôve il est entré
Embrasser sa veuve éplorée,
Il jugea d'un simple coup d'œil
Qu'elle ne portait plus son deuil.

Il la trouve se réchauffant
Avec un salaud de vivant,
Alors chancelant dans sa foi
Mourut une seconde fois.

La commère au potron-minet
Ramassa les os qui traînaient
Et pour une bouchée de pain
Les vendit à des carabins.

Et, depuis lors, ce macchabée,
Dans l'amphithéâtre tombé,
Malheureux, poussiéreux, transi,
Chante « Ah ! ce qu'on s'emmerde ici » !

La guerre

A voir le succès que se taille
Le moindre récit de bataille,
On pourrait en déduire que
Les braves gens sont belliqueux.

La guerre,
C'est sûr,
La faire,
C'est dur,
Coquin de sort !
Mais quelle
Bell' fête,
Lorsqu'elle
Est faite,
Et qu'on s'en sort !

C'est un sacré frisson que donne
Au ciné, le canon qui tonne.
Il était sans nul doute d'un
Autre genre autour de Verdun.

Bien qu'on n'ait pas la tête épique
Au pays de France, on se pique
D'art martial, on se repaît
De stratégie en temps de paix.

« Allons enfants de la patrie »,
A tue-tête, on le chante et crie.
Qu'on nous dise : « Faut y aller ! »,
On est dans nos petits souliers.

C'est beau, les marches militaires,
Ça nous fait battre les artères.
On semble un peu moins fanfaron,
Sitôt qu'on approche du front.

Les uniformes et les bottes,
Les tuniques et les capotes,
C'est à la mode, on les enfile
Très volontiers dans le civil...

A voir le succès que se taille
Le moindre récit de bataille
On pourrait en déduire que
Les braves gens sont belliqueux.

Les illusions perdues

On creva ma première bulle de savon
Y' a plus de cinquante ans ; depuis je me morfonds.

On jeta mon père Noël en bas du toit,
Ça fait belle lurette, et j'en reste pantois.

Premier amour déçu. Jamais plus, officiel,
Je ne suis remonté jusqu'au septième ciel !

Le bon Dieu déconnait. J'ai décroché Jésus
De sa croix : n'avait plus rien à faire dessus.

Les lendemains chantaient. Hourra l'Oural ! bravo !
Il m'a semblé soudain qu'ils chantaient un peu faux.

J'ai couru pour quitter ce monde saugrenu
Me noyer dans le premier océan venu.

Juste voguait par là le bateau des copains ;
Je me suis accroché bien fort à ce grappin.

Et, par enchantement, tout fut régénéré,
L'espérance cessa d'être désespérée.

L'inestimable sceau

M'amie, en ce temps-là, chaque année au mois d'août,
Se campait sur la grève, et ça m'était très doux
D'ainsi la voir en place.
Dans cette position, pour se désennuyer,
Sans jamais une erreur, ell' comptait les noyés
En suçant de la glace.

Ses aimables rondeurs avaient fait à la fin
Un joli petit trou parmi le sable fin,
Une niche idéale.
Quand je voulais partir, elle entrait en courroux,
En disant : « C'est trop tôt, j'ai pas fini mon trou ;
C'est pas le trou des Halles. »

Près d'elle, un jour, passa superbe un ange blond,
Un bellâtre, un bélître au torse d'Apollon,
Une espèce d'athlète.
Comme mue d'un ressort, dressée sur son séant,
Elle partit avec cet homme de néant,
Costaud de la Villette.

La volage, en volant vers ce nouveau bonheur,
Me fit un pied de nez doublé d'un bras d'honneur,
Adorable pimbêche !
J'hésite à simuler ce geste il est trop bas.
On vous l'a souvent fait, d'ailleurs je ne peux pas :
La guitare m'empêche !

J'eus beau la supplier : « De grâce, ma Nini,
Rassieds-toi, rassieds-toi : ton trou n'est pas fini. »
D'une voix sans réplique,
« Je m'en fous » cria-t-elle « Et puisqu'il te plaît tant,
C'est l'instant ou jamais de t'enfouir dedans :
T'as bien fait ''La Supplique'' ! »

Et je retournai voir, morfondu de chagrin,
La trace laissée par la chute de ses reins,
Par ses parties dodues.
J'ai cherché, recherché, fébrile jusqu'au soir,
L'endroit où elle avait coutume de s'asseoir,
Ce fut peine perdue.

La vague indifférente hélas avait roulé,
Avait fait plage rase, avait annihilé
L'empreinte de ses sphères.
Si j'avais retrouvé l'inestimable sceau,
Je l'aurais emporté, grain par grain, seau par seau,
Mais m'eût-on laissé faire ?

Je bivouaque au pays de Cocagne

Une rue sans joie où les sbires
Tout seuls ne s'aventurent pas,
Un coupe-gorge et même pire,
La venelle où traînaient mes pas !
Mais j'avais mangé du poète,
Je marchais un peu sur la tête,
Et cett' rue je l'ai traversée
Comm' l'avenue des Champs-Élysées.

Refrain

Je bivouaque au
Pays de Co-
cagne depuis

Que j'ai bouté
La vérité
Au fond du puits.

Beauté du diable et qui n'inspire
Pas l'envie d'aller en sabbat,
Épouvantail et même pire,
La fille m'offrant ses appas !
Mais j'avais mangé du poète,
Je marchais un peu sur la tête,
Et j'ai changé cette petite
En une Vénus Aphrodite. *(Au refrain.)*

Quatre anges déchus qui soupirent
Si peu qu'on ne les entend pas,
Jamais étreinte ne fut pire,
Jamais amour vola si bas !
Mais j'avais mangé du poète,
Je marchais un peu sur la tête,
Et quittant doucement la terre
Je fus à bon port à Cythère. *(Au refrain.)*

C'était un peu leste

Et quand elle eut fini de coudre le linceul
Et de faire la sieste,
La veuve a décidé de ne pas rester seule
C'était un peu leste.

Et quand elle eut fini de couver ce dessein
Elle mit sa veste,
Et vint frapper chez moi, son plus proche voisin,
C'était un peu leste.

Et quand elle eut fini la dernière bouchée
D'un repas modeste,
Ell' dit : « Il se fait tard, c'est l'heur' de se coucher »,
C'était un peu leste.

Et quand elle eut fini de bassiner le lit,
Alea jacta est(e),
Dans ses bras accueillants, j'étais enseveli,
C'était un peu leste.

Et quand elle eut fini d' me presser sur son cœur,
De leurs voix célestes
Les anges d'alentour soupiraient tous en chœur,
C'était un peu leste.

Et quand elle eut fini d' reprendre ses esprits,
Elle manifeste
La fâcheuse intention de m'avoir pour mari,
C'était un peu leste.

Et quand elle eut fini de tenir ces propos,
Tonnerre de Brest(e) !
Je la flanquai dehors avec ses oripeaux,
C'était un peu leste.

Et quand elle eut fini de dévaler l' perron
Et dit : « J' te déteste »,
Elle se pendit au cou d'un troisième larron,
C'était un peu leste.

Et quand elle fut sortie de mon champ visuel,
Parfumés d'un zeste
Je bus cinq à six coups, l'antidote usuel,
C'était un peu leste.

Et quand j'eus bien cuvé mon vin, je me suis dit,
Regrettant mon geste,
Que j'avais peut-êtr' pas été des plus gentils,
C'était un peu leste.

Et quand ell' m'entendit fair' mon mea culpa,
La petite peste,
Me fit alors savoir qu'ell' ne m'en voulait pas,
C'était un peu leste.

Et quand à l'avenir ell' tomb'ra veuve encor,
Son penchant funeste,
Qu'elle vienne frapper chez moi dès la levée du corps
Sans d'mander son reste !

L'antéchrist

Je ne suis pas du tout l'antéchrist de service,
J'ai même pour Jésus et pour son sacrifice
Un brin d'admiration, soit dit sans ironie.
Car ce n'est sûrement pas une sinécure,
Non, que de se laisser cracher à la figure
Par la canaille et la racaille réunies.

Bien sûr, il est normal que la foule révère
Ce héros qui jadis partit pour aller faire
L'alpiniste avant l'heure en haut du Golgotha,
En portant sur l'épaule une croix accablante,
En méprisant l'insulte et le remonte-pente,
Et sans aucun bravo qui le réconfortât !

Bien sûr, autour du front, la couronne d'épines,
L'éponge trempée dans Dieu sait quelle bibine,

Et les clous enfoncés dans les pieds et les mains,
C'est très inconfortable et ça vous tarabuste,
Même si l'on est brave et si l'on est robuste,
Et si le paradis est au bout du chemin.

Bien sûr, mais il devait défendre son prestige,
Car il était le fils du ciel, l'enfant prodige,
Il était le Messie et ne l'ignorait pas.
Entre son père et lui, c'était l'accord tacite :
Tu montes sur la croix et je te ressuscite !
On meurt de confiance avec un tel papa.

Il a donné sa vie sans doute mais son zèle
Avait une portée quasi universelle
Qui rendait le supplice un peu moins douloureux.
Il savait que, dans chaque église, il serait tête
D'affiche et qu'il aurait son portrait en vedette,
Entouré des élus, des saints, des bienheureux.

En se sacrifiant, il sauvait tous les hommes.
Du moins le croyait-il ! Au point où nous en sommes,
On peut considérer qu'il s'est fichu dedans.
Le jeu, si j'ose dire, en valait la chandelle.
Bon nombre de chrétiens et même d'infidèles,
Pour un but aussi noble, en feraient tout autant.

Cela dit je ne suis pas l'antéchrist de service.

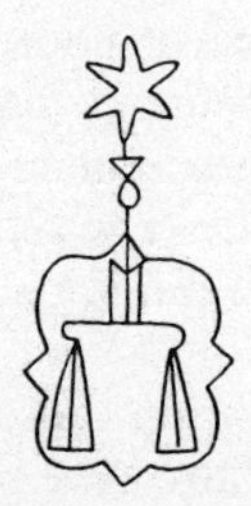

Jeanne Martin

La petite presqu'île
Où jadis bien tranquille
Moi je suis né natif
Soit dit sans couillonnade
Avait le nom d'ad-
jectif démonstratif.

Moi, personnellement
Que je meur' si je mens
Ça m'était bien égal
J'étais pas chatouillé
J'étais pas humilié
Dans mon honneur local.

Mais voyant d' l'infamie
Dans cette homonymie
Des bougres s'en sont plaints
Tellement que bientôt
On a changé l'ortho-
graph' du nom du pat'lin.

Et j'eus ma première tristesse d'Olympio
Déférence gardée envers le père Hugo.

Si faire se peut
Attendez un peu
Messieurs les édiles
Que l'on soit passé
Pour débaptiser
Nos petites villes.

La chère vieille rue
Où mon père avait cru

On ne peut plus propice
D'aller construire sa
Petite maison s'a-
ppelait rue de l'Hospice.

Se mettre en quête d'un
Nom d' rue plus opportun
Ne se concevait pas
On n' pouvait trouver mieux
Vu qu'un asile de vieux
Florissait dans le bas.

Les anciens combattants
Tous comme un seul sortant
De leurs vieux trous d'obus
Firent tant qu'à la fin
La rue d' l'Hospic' devint
La rue Henri-Barbusse

Et j'eus ma deuxième tristesse d'Olympio
Déférence gardée envers le père Hugo.

Si faire se peut
Attendez un peu
Héros incongrus
Que l'on soit passé
Pour débaptiser
Nos petites rues.

Moi la première à qui
Mon cœur fut tout acquis
S'app'lait Jeanne Martin
Patronyme qui fait
Pas tellement d'effet
Dans le Bottin mondain.

Mais moi j'aimais comme un
Fou ce nom si commun
N'en déplaise aux minus
D'ailleurs de parti pris
Celle que je chéris
S'appell' toujours Vénus.

Hélas un béotien
A la place du sien
Lui proposa son blase
Fameux dans l'épicerie
Et cette renchérie
Refusa pas, hélas !

Et j'eus ma troisième tristesse d'Olympio
Déférence gardée envers le père Hugo.

Si faire se peut
Attendez un peu
Cinq minutes non
Gentes fiancées
Que l'on soit passé
Pour changer de nom.

Discours de fleurs

Sachant bien que même si,
Je suis amoureux transi,
Jamais ma main ne les cueille
De bon cœur les fleurs m'accueillent.
Et m'esquivant des salons,
Où l'on déblatère, où l'on

Tient des propos byzantins,
J' vais faire un tour au jardin.

Car je préfère ma foi,
En voyant ce que parfois,
Ceux des hommes peuvent faire
Les discours des primevères.
Des bourdes des inepties,
Les fleurs en disent aussi,
Mais jamais personne en meurt
Et ça plaît à mon humeur.

Le premier Mai c'est pas gai,
Je trime a dit le muguet,
Dix fois plus que d'habitude.
Regrettable servitude.
Muguet sois pas chicaneur,
Car tu donnes du bonheur,
Pas cher à tout un chacun.
Brin de muguet tu es quelqu'un.

Mon nom savant me désol',
Appelez-moi tournesol,
Ronchonnait l'héliotrope,
Ou je deviens misanthrope.
Tournesol c'est entendu,
Mais en échange veux-tu
Nous donner un gros paquet
De graines de perroquet.

L'églantine en rougissant
Dit : ça me tourne les sangs,
Que gratte-cul l'on me nomme,
Cré nom d'un petit bonhomme.
Églantine on te promet,
De ne plus le faire, mais

Toi tu ne piqueras plus.
Adjugé, marché conclu.

Les « je t'aime un peu beaucoup »,
Ne sont guère de mon goût,
Les serments d'amour m'irritent,
Se plaignait la marguerite.
Car c'est là mon infortune,
Aussitôt que débute une
Affaire sentimentale,
J'y laisse tous mes pétal's.

Un myosotis clamait :
Non je n'oublierai jamais,
Quand je vivrais cent ans d'âge,
Mille ans d'âge et même davantage.
Plein de souvenance allons,
Cent ans c'est long, c'est bien long,
Même vingt et même dix,
Pour un seul myosotis.

Mais minuit sonnait déjà,
Lors en pensant que mes chats,
Privés de leur mou peuchère,
Devaient dire il exagère.
Et saluant mes amies
Les fleurs je leur ai promis,
Que je reviendrais bientôt.
Et vivent les végétaux.

Car je préfère ma foi,
En voyant ce que parfois,
Ceux des hommes peuvent faire,
Les discours des primevères.
Des bourdes des inepties,
Les fleurs en disent aussi,

Mais jamais personne en meurt,
Et ça plaît à mon humeur.

L'orphelin

Sauf dans le cas fréquent hélas
Où ce sont de vrais dégueulasses,
On ne devrait perdre jamais
Ses père et mère, bien sûr, mais
A moins d'être un petit malin
Qui meurt avant d'être orphelin,
Ou un infortuné bâtard,
Ça nous pend au nez tôt ou tard.

Quand se drapant dans un linceul
Ses parents le laissent tout seul,
Le petit orphelin ma foi
Est bien à plaindre. Toutefois,
Sans aller jusqu'à décréter
Qu'il devient un enfant gâté,
Disons que dans son affliction
Il trouve des compensations.

D'abord au dessert aussitôt
La meilleure part du gâteau,
Et puis plus d'école pardi
La semaine aux quatre-jeudis.
On le traite comme un pacha
A sa place on fouette le chat
Et le trouvant très chic en deuil
Les filles lui font des clins d'œil.

Il serait pas trop saugrenu
D'énumérer par le menu
Les faveurs et les passe-droits
Qu'en l'occurrence on lui octroie.
Tirant même un tel bénéfice
En perdant leurs parents, des fils
Dénaturés regrettent de
N'en avoir à perdre que deux.

Hier j'ai dit à un animal
De flic qui me voulait du mal :
Je suis orphelin, savez-vous ?
Il me répondit : Je m'en fous.
J'aurais eu quarante ans de moins
Je suis sûr que par les témoins
La brute aurait été mouchée.
Mais ces lâches n'ont pas bougé.

Aussi mon enfant si tu dois
Être orphelin, dépêche-toi.
Tant qu'à perdre tes chers parents,
Petit, n'attends pas d'être grand
L'orphelin d'âge canonique
Personne ne le plaint : bernique !
Et pour tout le monde il demeure
Orphelin de la onzième heure.

Celui qui a fait cette chanson
A voulu dire à sa façon,
Que la perte des vieux est par-
fois perte sèche, blague à part.
Avec l'âge c'est bien normal,
Les plaies du cœur guérissent mal.
Souventes fois même, salut
Elles ne se referment plus.

La Légion d'honneur

Tous les Brummel, les dandys, les gandins,
Il les considérait avec dédain
Faisant peu cas de l'élégance il s'ha-
billait toujours au décrochez-moi-ça.
Au combat, pour s'en servir de liquette,
Sous un déluge d'obus, de roquettes,
Il conquit un oriflamme teuton.
Cet acte lui valut le grand cordon.
Mais il perdit le privilège de
S'aller vêtir à la six-quatre-deux,
Car ça la fout mal saperlipopette
D'avoir des faux plis, des trous à ses bas,
De mettre un ruban sur la salopette.
La Légion d'honneur ça pardonne pas.

L'âme du bon feu maistre Jehan Cotart
Se réincarnait chez ce vieux fêtard.
Tenter de l'empêcher de boire un pot
C'était ni plus ni moins risquer sa peau.
Un soir d'intempérance, à son insu,
Il éteignit en pissotant dessus
Un simple commencement d'incendie.
On lui flanqua le mérite, pardi !
Depuis que n'est plus vierge son revers,
Il s'interdit de marcher de travers.
Car ça la fout mal d' se rendre dans les vignes,
Dites du Seigneur, faire des faux pas
Quand on est marqué du fatal insigne.
La Légion d'honneur ça pardonne pas.

Grand peloteur de fesses convaincu,
Passé maître en l'art de la main au cul,
Son dada c'était que la femme eût le

Bas de son dos tout parsemé de bleus.
En vue de la palper d'un geste obscène,
Il a plongé pour sauver de la Seine
Une donzelle en train de se noyer,
Dame ! aussi sec on vous l'a médaillé.
Ce petit hochet à la boutonnière
Vous le condamne à de bonnes manières.
Car ça la fout mal avec la rosette,
De tâter, flatter, des filles les appas
La louche au valseur ; pas de ça Lisette !
La Légion d'honneur ça pardonne pas.

Un brave auteur de chansons malotru
Avait une tendance à parler cru,
Bordel de dieu, con, pute, et caetera
Ornaient ses moindres tradéridéras.
Sa muse un soir d'un derrière distrait
Pondit, elle ne le fit pas exprès,
Une rengaine sans gros mots dedans,
On vous le chamarra tambour battant.
Et maintenant qu'il porte cette croix,
Proférer « Merde » il n'en a plus le droit.
Car ça la fout mal de mettre à ses lèvres
De grand commandeur des termes trop bas,
D' chanter l' grand vicaire et les trois orfèvres.
La Légion d'honneur ça pardonne pas.

Index alphabétique et discographique

A l'ombre des maris (disque 11) © 1972, *Éd. Musicales 57* 250
A l'ombre du cœur de ma mie (disque 5) © 1958, *Éd. Mus. 57* 103
L'amandier (disque 4) © 1957, *Éd. Mus. 57* 80
A mon frère revenant d'Italie (poème d'Alfred de Musset) (disque 13) © 1983, *Éd. Mus. 57* 292
Les amoureux des bancs publics (disque 2) © 1952, *Éd. Intersong-Paris* 33
Les amours d'antan (disque 7) © 1966, *Éd. Mus. 57* 152
L'ancêtre (disque 10) © 1969, *Éd. Mus. 57* 215
L'andropause (disque 15) © 1982, *Éd. Mus. 57* 315
L'antéchrist (musique de Jean Bertola) © *Éd. Mus. 57* 385
L'arc-en-ciel d'un quart d'heure (paroles sans musique) © *Éd. Mus. 57* 367
L'assassinat (disque 7) © 1966, *Éd. Mus. 57* 156
Au bois de mon cœur (disque 4) © 1957, *Éd. Mus. 57* 87
Auprès de mon arbre (disque 3) © 1955, *Éd. Intersong-Paris* 65
Ballade à la lune (poème d'Alfred de Musset) (disque 13) © 1983, *Éd. Mus. 57* 290
La ballade des cimetières (disque 6) © 1962, *Éd. Mus. 57* 127
Ballade des dames du temps jadis (poème de François Villon) (disque 1) © 1954, *Éd. Intersong-Paris*... 17
La ballade des gens qui sont nés quelque part (disque 11) © 1972, *Éd. Mus. 57* 236
Bécassine (disque 10) © 1969, *Éd. Mus. 57* 213

Le bistrot (disque 6) © 1960, *Éd. Mus. 57*......... 122
Le blason (disque 11) © 1972, *Éd. Mus. 57*........ 241
Bonhomme (disque 5) © 1956, *Éd. Intersong-Paris*. 111
Boulevard du temps qui passe (disque 12) © 1976, *Éd. Mus. 57* 262
Brave Margot (disque 2) © 1952, *Éd. Intersong-Paris* 34
Le bricoleur (disques divers) © *Éd. Intersong-Paris*. 331
Le bulletin de santé (disque 9) © 1966, *Éd. Mus. 57* 196
La cane de Jeanne (disque 2) © 1953, *Éd. Intersong-Paris*.. 40
Carcassonne (poème de Gustave Nadaud) (disque 13) © 1983, *Éd. Mus. 57 et Intersong-Paris*......... 288
Les casseuses (disque 12) © 1976, *Éd. Mus. 57*..... 267
Le cauchemar (paroles sans musique) © *Éd. Mus. 57* 363
Celui qui a mal tourné (disque 4) © 1957, *Éd. Mus. 57* 91
Ce n'est pas tout d'être mon père (disque 15) © 1982, *Éd. Mus. 57*.............................. 320
C'était un peu leste (paroles sans musique) © *Éd. Mus. 57*.. 383
Ceux qui ne pensent pas comme nous (disque 14) © 1982, *Éd. Mus. 57*.......................... 304
Chansonnette à celle qui reste pucelle (musique de Jean Bertola) © *Éd. Mus. 57*......................... 372
Chanson pour l'Auvergnat (disque 3) © 1954, *Éd. Intersong-Paris* 55
Le chapeau de Mireille (disques divers) © *Éd. Mus. 57* 336
Charlotte ou Sarah ? (paroles de Pierre Louki) (disques divers).. 344
La chasse aux papillons (disque 1) © 1952, *Éd. Intersong-Paris* 20
Les châteaux de sable (musique de Georges Brassens, arrangements de Jean Bertola) © *Éd. Mus. 57* ... 368
Clairette et la fourmi (disque 15) © 1982, *Éd. Mus. 57*.. 311
Le cocu (disque 5) © 1958, *Éd. Mus. 57*.......... 114
Le cœur à l'automne (paroles de Pierre Louki) (disques divers).. 343
Colombine (poème de Paul Verlaine) (disque 3) © 1956, *Éd. Intersong-Paris* 64

Comme hier (poème de Paul Fort) (disque 1) © 1953, *Éd. Intersong-Paris* 28
Comme une sœur (disque 5) © 1958, *Éd. Mus. 57*.. 115
La complainte des filles de joie (disque 7) © 1962, *Éd. Mus. 57* 158
Concurrence déloyale (disque 9) © 1966, *Éd. Mus. 57* 202
Les copains d'abord (disque 8) © 1965, *Éd. Mus. 57* 163
Corne d'Aurochs (disque 1) © 1952, *Éd. Intersong-Paris* 24
Les croquants (disque 3) © 1955, *Éd. Intersong-Paris* 75
Cupidon s'en fout (disque 12) © 1976, *Éd. Mus. 57* 268
Dans l'eau de la claire fontaine (disque 7) © 1962, *Éd. Mus. 57* 145
Les deux oncles (disque 8) © 1965, *Éd. Mus. 57*... 172
Dieu s'il existe (disque 14) © 1982, *Éd. Mus. 57*... 300
Discours de fleurs (musique de Éric Zimmermann) © *Éd. Mus. 57*.. 389
Don Juan (disque 12) © 1976, *Éd. Mus. 57*........ 266
Élégie à un rat de cave (disque 13) © *Éd. Mus. 57*. 286
Embrasse-les tous (disque 6) © 1960, *Éd. Mus. 57*.. 125
Entre la rue Didot et la rue de Vanves (disque 15) © 1982, *Éd. Mus. 57*............................ 313
Entre l'Espagne et l'Italie (disque 15) © 1982, *Éd. Mus. 57*.. 317
L'épave (disque 9) © 1966, *Éd. Mus. 57*.......... 204
Le fantôme (disque 9) © 1966, *Éd. Mus. 57*....... 188
La femme d'Hector (disque 5) © 1958, *Éd. Mus. 57* 109
Fernande (disque 11) © 1972, *Éd. Mus. 57*........ 233
La fessée (disque 9) © 1966, *Éd. Mus. 57*......... 190
La file indienne (non interprétée) © *Éd. Mus. 57*... 355
La fille à cent sous (disque 6) © 1962, *Éd. Mus. 57* 136
Le fossoyeur (disque 1) © 1952, *Éd. Intersong-Paris* 13
Funérailles d'antan (disque 5) © 1960, *Éd. Mus. 57* 112
Gastibelza (poème de Victor Hugo) (disque 3) © .1955, *Éd. Intersong-Paris* 68
Le gorille (disque 1) © 1952, *Éd. Intersong-Paris*... 14
Le grand chêne (disque 9) © 1966, *Éd. Mus. 57*.... 200
Le grand Pan (disque 8) © 1965, *Éd. Mus. 57*..... 180
Grand-père (disque 4) © 1957, *Éd. Mus. 57*....... 88

La guerre (paroles sans musique) © *Éd. Mus. 57*... 378
La guerre de 14-18 (disque 7) © 1966, *Éd. Mus. 57*. 150
Hécatombe (disque 1) © 1952, *Éd. Intersong-Paris*. 19
Histoire de faussaire (disque 12) © 1976, *Éd. Mus. 57* 272
Honte à qui peut chanter (musique de Georges Brassens, arrangements de Jean Bertola) © *Éd. Mus. 57* ... 365
Les illusions perdues (paroles sans musique) © *Éd. Mus. 57*.................................... 380
Il n'y a pas d'amour heureux (poème de Louis Aragon) (disque 2) © 1954, *Éd. Intersong-Paris*......... 45
Il suffit de passer le pont (disque 1) © 1953, *Éd. Intersong-Paris*............................ 27
L'inestimable sceau (paroles sans musique) © *Éd. Mus. 57*.................................... 381
J'ai rendez-vous avec vous (disque 2) © 1952, *Éd. Intersong-Paris*............................ 43
Jeanne (disque 7) © 1966, *Éd. Mus. 57*........... 143
Jeanne Martin (musique de Jean Bertola) © *Éd. Mus. 57* 387
Jean rentre au village (non interprétée) © *Éd. Mus. 57* 357
Je bivouaque au pays de Cocagne (paroles sans musique) © *Éd. Mus. 57*......................... 382
Je me suis fait tout petit (disque 4) © 1955, *Éd. Intersong-Paris*............................ 79
Je rejoindrai ma belle (disque 7) © 1966, *Éd. Mus. 57* 146
Je suis un voyou (disque 2) © 1954, *Éd. Intersong-Paris* 41
Une jolie fleur (disque 3) © 1954, *Éd. Intersong-Paris* 60
Lèche-cocu (disque 12) © 1976, *Éd. Mus. 57*....... 275
La légende de la nonne (poème de Victor Hugo) (disque 3) © 1953, *Éd. Intersong-Paris* 61
La Légion d'honneur (musique de Jean Bertola) © *Éd. Mus. 57* 394
Les lilas (disque 4) © 1957, *Éd. Mus. 57*.......... 85
La maîtresse d'école (disque 15) © 1982, *Éd. Mus. 57* 319
Maman, papa (disque 13) © *Éd. Intersong-Paris*... 285
La marche nuptiale (disque 4) © 1957, *Éd. Mus. 57* 84
La marine (poème de Paul Fort) (disque 1) © 1953, *Éd. Intersong-Paris*............................ 23
Marinette (disque 3) © 1955, *Éd. Intersong-Paris*... 59
La marguerite (disque 7) © 1966, *Éd. Mus. 57*..... 147

Marquise (stances de Corneille, conclusion de Tristan Bernard) (disque 7) © 1966, *Éd. Mus. 57*........ 155
La mauvaise herbe (disque 2) © 1954, *Éd. Intersong-Paris*.. 46
La mauvaise réputation (disque 1) © 1952, *Éd. Intersong-Paris*.. 11
Le mauvais sujet repenti (disque 2) © 1952, *Éd. Intersong-Paris*.. 48
Méchante avec de jolis seins (disque 14) © 1982, *Éd. Mus. 57*.. 298
Le mécréant (disque 6) © 1960, *Éd. Mus. 57*...... 132
Mélanie (disque 12) © 1976, *Éd. Mus. 57*......... 279
Le mérinos (paroles sans musique) © *Éd. Mus. 57*.. 364
La messe au pendu (disque 12) © 1976, *Éd. Mus. 57* 274
Misogynie à part (disque 10) © 1969, *Éd. Mus. 57*. 211
Le modeste (disque 12) © 1976, *Éd. Mus. 57*...... 264
Montélimar (disque 12) © 1976, *Éd. Mus. 57*...... 269
Mourir pour des idées (disque 11) © 1972, *Éd. Mus. 57* 243
Le mouton de Panurge (disque 8) © 1965, *Éd. Mus. 57* 176
Le moyenâgeux (disque 9) © 1966, *Éd. Mus. 57*.... 206
Le myosotis (disques divers) © *Éd. Mus. 57*....... 334
Le nombril des femmes d'agents (disque 3) © 1956, *Éd. Intersong-Paris*.. 73
La non-demande en mariage (disque 9) © 1966, *Éd. Mus. 57*.. 199
La nymphomane (disque 14) © 1982, *Éd. Mus. 57*. 307
Oiseaux de passage (poème de Jean Richepin) (disque 10) © 1969, *Éd. Mus. 57*.................... 219
Oncle Archibald (disque 4) © 1957, *Éd. Mus. 57*... 82
L'orage (disque 6) © 1960, *Éd. Mus. 57*........... 130
L'orphelin (musique de Jean Bertola) © *Éd. Mus. 57* 392
Le parapluie (disque 1) © 1952, *Éd. Intersong-Paris* 22
Les passantes (poème d'Antoine Pol) (disque 11) © 1972, *Éd. Mus. 57*.. 246
Le passéiste (disque 14) © 1982, *Éd. Mus. 57*...... 302
Les patriotes (disque 12) © 1976, *Éd. Mus. 57*..... 277
Pauvre Martin (disque 2) © 1953, *Éd. Intersong-Paris* 36
Le pêcheur (disque 15) © 1982, *Éd. Mus. 57*....... 325
Pénélope (disque 6) © 1960, *Éd. Mus. 57*......... 129

Pensée des morts (poème d'Alphonse de Lamartine) (disque 10) © 1969, *Éd. Mus. 57* 223
Le petit cheval (poème de Paul Fort) (disque 1) © 1953, *Éd. Intersong-Paris* 16
Une petite Ève en trop (musique de Marcel Amont) (disques divers) © *Éd. Mus. 57* 342
Le petit joueur de flûteau (disque 8) © 1965, *Éd. Mus. 57* 167
Le père Noël et la petite fille (disque 5) © 1960, *Éd. Mus. 57* 107
Philistins (poème de Jean Richepin) (disque 4) © 1957, *Éd. Mus. 57* 94
Le pince-fesses (paroles sans musique) © *Éd. Mus. 57* 375
Le pornographe (disque 5) © 1958, *Éd. Mus. 57* ... 104
Le pluriel (disque 9) © 1966, *Éd. Mus. 57* 192
La première fille (disque 2) © 1954, *Éd. Intersong-Paris* 38
La prière (poème de Francis Jammes) (disque 3) © 1953, *Éd. Intersong-Paris* 72
La princesse et le croque-notes (disque 11) © 1972, *Éd. Mus. 57* 237
Le progrès (musique de Jean Bertola) © *Éd. Mus. 57* 361
Putain de toi (disque 2) © 1953, *Éd. Intersong-Paris* 50
Quand les cons sont braves (disque 14) © 1982, *Éd. Mus. 57* 297
Les quatre bacheliers (disque 9) © 1966, *Éd. Mus. 57* 194
Quatre-vingt-quinze pour cent (disque 11) © 1972, *Éd. Mus. 57* 244
Les quat'z'arts (disque 8) © 1965, *Éd. Mus. 57* 165
Les radis (non interprétée) © *Éd. Must. 57* 351
La religieuse (disque 10) © 1969, *Éd. Mus. 57* 221
Retouches à un roman d'amour de quatre sous (disque 15) © 1982, *Éd. Mus. 57* 323
Le revenant (musique de Jean Bertola) © *Éd. Mus. 57* 377
Les ricochets (disque 12) © 1976, *Éd. Mus. 57* 257
Rien à jeter (disque 10) © 1969, *Éd. Mus. 57* 217
Le roi (disque 11) © 1972, *Éd. Mus. 57* 248
Le roi boiteux (poème de Gustave Nadaud) (disque 13) © 1983, *Éd. Mus. 57* 289
La ronde des jurons (disque 5) © 1958, *Éd. Mus. 57* 102

La rose, la bouteille et la poignée de main (disque 10) © 1969, *Éd. Mus. 57* 225
La route aux quatre chansons (disque 8) © 1965, *Éd. Mus. 57* 177
Les sabots d'Hélène (disque 3) © 1954, *Éd. Intersong-Paris* 57
Sale petit bonhomme (disque 10) © 1969, *Éd. Mus. 57* 228
Saturne (disque 8) © 1965, *Éd. Mus. 57* 179
Sauf le respect que je vous dois (disque 11) © 1972, *Éd. Mus. 57* 239
Le sceptique (disque 15) © 1982, *Éd. Mus. 57* 322
Si le Bon Dieu l'avait voulu (poème de Paul Fort) (disque 7) © 1961, *Éd. Mus. 57* 150
Si seulement elle était jolie (musique de Georges Brassens, arrangements de Jean Bertola) © *Éd. Mus. 57* 374
Stances à un cambrioleur (disque 11) © 1972, *Éd. Mus. 57* 234
Supplique pour être enterré à la plage de Sète (disque 9) © 1966, *Éd. Mus. 57* 185
Sur la mort d'une cousine de sept ans (poème de Hégésippe Moreau) (disques divers) © 1977, *Éd. Mus. 57* 347
Tant qu'il y a des Pyrénées (musique de Georges Brassens, arrangements de Jean Bertola) © *Éd. Mus. 57* 371
Tempête dans un bénitier (disque 12) © 1976, *Éd. Mus. 57* 260
Le temps ne fait rien à l'affaire (disque 7) © 1962, *Éd. Mus. 57* 154
Le temps passé (disque 6) © 1962, *Éd. Mus. 57* 135
Le testament (disque 3) © 1955, *Éd. Intersong-Paris* 70
La tondue (disque 8) © 1965, *Éd. Mus. 57* 169
Tonton Nestor (disque 6) © 1962, *Éd. Mus. 57* 120
La traîtresse (disque 6) © 1962, *Éd. Mus. 57* 119
Trompe la mort (disque 12) © 1976, *Éd. Mus. 57* .. 255
Les trompettes de la renommée (disque 7) © 1962, *Éd. Mus. 57* 141
Vendetta (disques divers) © *Éd. Mus. 57* 332
Le vent (disque 2) © 1954, *Éd. Intersong-Paris* 44
Vénus callipyge (disque 8) © 1965, *Éd. Mus. 57* 174

Le verger du roi Louis (poème de Théodore de Banville) (disque 6) © 1960, *Éd. Mus. 57* 134
Le vieux fossile (musique de Marcel Amont) (disques divers) © *Éd. Mus. 57*.......................... 340
Le vieux Léon (disque 5) © 1958, *Éd. Mus. 57*..... 99
Le vieux Normand (disque 14) © 1982, *Éd. Mus. 57* 301
Le vin (disque 4) © 1957, *Éd. Mus. 57*............ 92
Le vingt-deux septembre (disque 8) © 1965, *Éd. Mus. 57* 170
La visite (disque 14) © 1982, *Éd. Mus. 57*......... 305

COMPOSITION : CHARENTE-PHOTOGRAVURE À L'ISLE-D'ESPAGNAC
IMPRESSION : BRODARD ET TAUPIN À LA FLÈCHE (9-91)
DÉPÔT LÉGAL FÉVRIER 1991. Nº 12928-3 (6430E-5)

Collection Points

SÉRIE POINT-VIRGULE

V1. Manuel de savoir-vivre à l'usage des rustres et des malpolis, *par Pierre Desproges*
V2. Petit Fictionnaire illustré, *par Alain Finkielkraut*
V3. Quand j'avais cinq ans, je m'ai tué *par Howard Buten*
V4. Lettres à sa fille (1877-1902), *par Calamity Jane*
V5. Café Panique, *par Roland Topor*
V6. Le Jardin de ciment, *par Ian McEwan*
V7. L'Age-déraison, *par Daniel Rondeau*
V8. Juliette a-t-elle un grand Cui ?, *par Hélène Ray*
V9. T'es pas mort !, *par Antonio Skarmeta*
V10. Petite Fille rouge avec un couteau *par Myrielle Marc*
V11. Manuel à l'usage des enfants qui ont des parents difficiles, *par Jeanne Van den Brouck*
V12. Le A nouveau est arrivé *par Pierre Ziegelmeyer et Jean-Benoît Thirion*
V13. Comment faire l'enfant (17 leçons pour ne pas grandir) *par Delia Ephron*
V14. Zig-Zag, *par Alain Cahen*
V15. Plumards, de cheval, *par Groucho Marx*
V16. Bleu, je veux, *par Gisèle Bienne*
V17. Moi et les Autres, *par Albert Jacquard*
V18. Au vrai chic anatomique, *par Frédéric Pagès*
V19. Le Petit Pater illustré, *par Jacques Pater*
V20. Cherche souris pour garder chat, *par Hélène Ray*
V21. Un enfant dans la guerre, *par Saïd Ferdi*
V22. La Danse du coucou, *par Aidan Chambers*
V23. Mémoires d'un amant lamentable, *par Groucho Marx*
V24. Le Cœur sous le rouleau compresseur *par Howard Buten*
V25. Le Cinéma américain. Les années cinquante *par Olivier-René Veillon*
V26. Voilà un baiser, *par Anne Perry-Bouquet*
V27. Le Cycliste de San Cristobal *par Antonio Skarmeta*
V28. Tchao l'enfance, craignos l'amour, *par Delia Ephron*
V29. Mémoires capitales, *par Groucho Marx*
V30. Dieu, Shakespeare et moi, *par Woody Allen*
V31. Dictionnaire superflu à l'usage de l'élite et des bien nantis, *par Pierre Desproges*

V32. Je t'aime, je te tue, *par Morgan Sportès*
V33. Rock-vinyl (Pour une discothèque du rock) *par Jean-Marie Leduc*
V34. Le Manuel du parfait petit masochiste *par Dan Greenburg*
V35. L'Oiseau Canadèche, *par Jim Dodge*
V36. Des sous et des hommes, *par Jean-Marie Albertini*
V37. De l'univers à nous, *par Robert Clarke*
V38. Pour en finir une bonne fois pour toutes avec la culture, *par Woody Allen*
V39. Le Gone du Chaâba, *par Azouz Begag*
V40. Le Cinéma américain. Les années trente *par Olivier-René Veillon*
V41. Mistral gagnant, chansons et dessins, *par Renaud*
V42. Les Aventures d'Adrian Mole, 15 ans *par Sue Townsend*
V43. Le Palais des claques, *par Pascal Bruckner*
V44. La Cuisine cannibale, *par Roland Topor*
V45. Le Livre d'Étoile, *par Gil Ben Aych*
V46. Les Dingues du nonsense, *par Robert Benayoun*
V47. Le Grand Cerf-volant, *par Gilles Vigneault*
V48. Comment choisir son psychanalyste *par Oreste Saint-Drôme*
V49. Slapstick, *par Buster Keaton*
V50. Chroniques de la haine ordinaire *par Pierre Desproges*
V51. Cinq Milliards d'Hommes dans un vaisseau *par Albert Jacquard*
V52. Rien à voir avec une autre histoire *par Griselda Gambaro*
V53. Comment faire son alyah en vingt leçons *par Moshé Gaash*
V54. A rebrousse-poil *par Roland Topor et Henri Xhonneux*
V55. Vive la sociale !, *par Gérard Mordillat*
V56. Ma gueule d'atmosphère, *par Alain Gillot-Pétré*
V57. Le Mystère Tex Avery, *par Robert Benayoun*
V58. Destins tordus, *par Woody Allen*
V59. Comment se débarrasser de son psychanalyste *par Oreste Saint-Drôme*
V60. Boum !, *par Charles Trenet*
V61. Catalogue des idées reçues sur la langue *par Marina Yaguello*
V62. Mémoires d'un vieux con, *par Roland Topor*
V63. Le Cinéma américain. Les années quatre-vingt *par Olivier-René Veillon*

V64. Le Temps des noyaux, *par Renaud*
V65. Une ardente patience, *par Antonio Skarmeta*
V66. A quoi pense Walter ?, *par Gérard Mordillat*
V67. Les Enfants, oui ! L'Eau ferrugineuse, non ! *par Anne Debarède*
V68. Dictionnaire du français branché, *par Pierre Merle*
V69. Béni ou le paradis privé, *par Azouz Begag*
V70. Idiomatics français-anglais, *par Initial Groupe*
V71. Idiomatics français-allemand, *par Initial Groupe*
V72. Idiomatics français-espagnol, *par Initial Groupe*
V73. Abécédaire de l'ambiguïté, *par Albert Jacquard*
V74. Je suis une étoile, *par Inge Auerbacher*
V75. Le Roman de Renaud, *par Thierry Séchan*
V76. Bonjour Monsieur Lewis, *par Robert Benayoun*
V77. Monsieur Butterfly, *par Howard Buten*
V78. Des femmes qui tombent, *par Pierre Desproges*
V79. Le Blues de l'argot, *par Pierre Merle*
V80. Idiomatics français-italien, *par Initial Groupe*
V81. Idiomatics français-portugais, *par Initial Groupe*
V82. Les Folies-Belgères, *par Jean-Pierre Verheggen*
V83. Vous permettez que je vous appelle Raymond ? *par Antoine de Caunes et Albert Algoud*
V84. Histoire de lettres, *par Marina Yaguello*
V85. Tout ce que vous avez toujours voulu savoir sur le sexe sans jamais oser le demander, *par Woody Allen*
V86. Écarts d'identité *par Azouz Begag et Abdellatif Chaouite*
V87. Pas mal pour un lundi ! *par Antoine de Caunes et Albert Algoud*
V88. Au pays des faux amis *par Charles Szlakmann et Samuel Cranston*
V89. Le Ronfleur apprivoisé, *par Oreste Saint-Drôme*
V90. Je ne vais pas bien, mais il faut que j'y aille *par Maurice Roche*
V91. Qui n'a pas vu Dieu n'a rien vu *par Maurice Roche*
V92. Dictionnaire du français parlé *par Charles Bernet et Pierre Rézeau*
V93. Mots d'Europe (Textes d'Arthur Rimbaud) *présentés par Agnès Rosenstiehl*
V94. Idiomatics français-néerlandais, *par Initial Groupe*
V95. Le monde est rond, *par Gertrude Stein*
V96. Poèmes et Chansons, *par Georges Brassens*
V97. Paroles d'esclaves, *par James Mellon*
V98. Les Poules pensives, *par Luigi Malerba*
V99. Ugly, *par Daniel Mermet*

V100. Papa et maman sont morts, *par Gilles Paris*
V101. Les écrivains sont dans leur assiette, *par Salim Jay*
V102. Que sais-je ? Rien, *par Karl Zéro*
V103. L'Ouilla, *par Claude Duneton*
V104. Le Déchiros, *par Pierre Merle*
V105. Petite Histoire de la langue, *par Pozner/Desclozeaux*
V106. Hannah et ses sœurs, *par Woody Allen*
V107. Les Marx Brothers ont la parole, *par Robert Benayoun*
V108. La Folie sans peine, *par Didier Raymond*

Collection Points

SÉRIE ROMAN

DERNIERS TITRES PARUS

R245. Le Bois de la nuit, *par Djuna Barnes*
R246. La Caverne céleste, *par Patrick Grainville*
R247. L'Alliance, tome 1, *par James A. Michener*
R248. L'Alliance, tome 2, *par James A. Michener*
R249. Juliette, chemin des Cerisiers, *par Marie Chaix*
R250. Le Baiser de la femme-araignée, *par Manuel Puig*
R251. Le Vésuve, *par Emmanuel Roblès*
R252. Comme neige au soleil, *par William Boyd*
R253. Palomar, *par Italo Calvino*
R254. Le Visionnaire, *par Julien Green*
R255. La Revanche, *par Henry James*
R256. Les Années-lumière, *par Rezvani*
R257. La Crypte des capucins, *par Joseph Roth*
R258. La Femme publique, *par Dominique Garnier*
R259. Maggie Cassidy, *par Jack Kerouac*
R260. Mélancolie Nord, *par Michel Rio*
R261. Énergie du désespoir, *par Eric Ambler*
R262. L'Aube, *par Elie Wiesel*
R263. Le Paradis des orages, *par Patrick Grainville*
R264. L'Ouverture des bras de l'homme
par Raphaële Billetdoux
R265. Méchant, *par Jean-Marc Roberts*
R266. Un policeman, *par Didier Decoin*
R267. Les Corps étrangers, *par Jean Cayrol*
R268. Naissance d'une passion, *par Michel Braudeau*
R269. Dara, *par Patrick Besson*
R270. Parias, *par Pascal Bruckner*
R271. Le Soleil et la Roue, *par Rose Vincent*
R272. Le Malfaiteur, *par Julien Green*
R273. Scarlett si possible, *par Katherine Pancol*
R274. Journal d'une fille de Harlem, *par Julius Horwitz*
R275. Le Nez de Mazarin, *par Anny Duperey*
R276. La Chasse à la licorne, *par Emmanuel Roblès*
R277. Red Fox, *par Anthony Hyde*
R278. Minuit, *par Julien Green*
R279. L'Enfer, *par René Belletto*
R280. Et si on parlait d'amour, *par Claire Gallois*
R281. Pologne, *par James A. Michener*
R282. Notre homme, *par Louis Gardel*

R283. La Nuit du solstice, *par Herbert Lieberman*
R284. Place de Sienne, côté ombre
par Carlo Fruttero et Franco Lucentini
R285. Meurtre au comité central
par Manuel Vásquez Montalbán
R286. L'Isolé soleil, *par Daniel Maximin*
R287. Samedi soir, dimanche matin, *par Alan Sillitoe*
R288. Petit Louis, dit XIV, *par Claude Duneton*
R289. Le Perchoir du perroquet, *par Michel Rio*
R290. L'Enfant pain, *par Agustin Gomez-Arcos*
R291. Les Années Lula, *par Rezvani*
R292. Michael K, sa vie, son temps, *par J. M. Coetzee*
R293. La Connaissance de la douleur
par Carlo Emilio Gadda
R294. Complot à Genève, *par Eric Ambler*
R295. Serena, *par Giovanni Arpino*
R296. L'Enfant de sable, *par Tahar Ben Jelloun*
R297. Le Premier Regard, *par Marie Susini*
R298. Regardez-moi, *par Anita Brookner*
R299. La Vie fantôme, *par Danièle Sallenave*
R300. L'Enchanteur, *par Vladimir Nabokov*
R301. L'Ile atlantique, *par Tony Duvert*
R302. Le Grand Cahier, *par Agota Kristof*
R303. Le Manège espagnol, *par Michel del Castillo*
R304. Le Berceau du chat, *par Kurt Vonnegut*
R305. Une histoire américaine, *par Jacques Godbout*
R306. Les Fontaines du grand abîme, *par Luc Estang*
R307. Le Mauvais Lieu, *par Julien Green*
R308. Aventures dans le commerce des peaux en Alaska
par John Hawkes
R309. La Vie et demie, *par Sony Labou Tansi*
R310. Jeune Fille en silence, *par Raphaële Billetdoux*
R311. La Maison près du marais, *par Herbert Lieberman*
R312. Godelureaux, *par Eric Ollivier*
R313. La Chambre ouverte, *par France Huser*
R314. L'Œuvre de Dieu, la part du Diable, *par John Irving*
R315. Les Silences ou la vie d'une femme, *par Marie Chaix*
R316. Les Vacances du fantôme, *par Didier van Cauwelaert*
R317. Le Levantin, *par Eric Ambler*
R318. Beno s'en va-t-en guerre, *par Jean-Luc Benoziglio*
R319. Miss Lonelyhearts, *par Nathanaël West*
R320. Cosmicomics, *par Italo Calvino*
R321. Un été à Jérusalem, *par Chochana Boukhobza*
R322. Liaisons étrangères, *par Alison Lurie*
R323. L'Amazone, *par Michel Braudeau*

R324. Le Mystère de la crypte ensorcelée
par Eduardo Mendoza
R325. Le Cri, *par Chochana Boukhobza*
R326. Femmes devant un paysage fluvial, *par Heinrich Böll*
R327. La Grotte, *par Georges Buis*
R328. Bar des flots noirs, *par Olivier Rolin*
R329. Le Stade de Wimbledon, *par Daniele Del Giudice*
R330. Le Bruit du temps, *par Ossip E. Mandelstam*
R331. La Diane rousse, *par Patrick Grainville*
R332. Les Éblouissements, *par Pierre Mertens*
R333. Talgo, *par Vassilis Alexakis*
R334. La Vie trop brève d'Edwin Mullhouse
par Steven Millhauser
R335. Les Enfants pillards, *par Jean Cayrol*
R336. Les Mystères de Buenos Aires, *par Manuel Puig*
R337. Le Démon de l'oubli, *par Michel del Castillo*
R338. Christophe Colomb, *par Stephen Marlowe*
R339. Le Chevalier et la Reine, *par Christopher Frank*
R340. Autobiographie de tout le monde, *par Gertrude Stein*
R341. Archipel, *par Michel Rio*
R342. Texas, tome 1, *par James A. Michener*
R343. Texas, tome 2, *par James A. Michener*
R344. Loyola's blues, *par Erik Orsenna*
R345. L'Arbre aux trésors, légendes, *par Henri Gougaud*
R346. Les Enfants des morts, *par Henrich Böll*
R347. Les Cent Premières Années de Niño Cochise
par A. Kinney Griffith et Niño Cochise
R348. Vente à la criée du lot 49, par *Thomas Pynchon*
R349. Confessions d'un enfant gâté
par Jacques-Pierre Amette
R350. Boulevard des trahisons, *par Thomas Sanchez*
R351. L'Incendie, *par Mohammed Dib*
R352. Le Centaure, *par John Updike*
R353. Une fille cousue de fil blanc, *par Claire Gallois*
R354. L'Adieu aux champs, *par Rose Vincent*
R355. La Ratte, *par Günter Grass*
R356. Le Monde hallucinant, *par Reinaldo Arenas*
R357. L'Anniversaire, *par Mouloud Feraoun*
R358. Le Premier Jardin, *par Anne Hébert*
R359. L'Amant sans domicile fixe
par Carlo Fruttero et Franco Lucentini
R360. L'Atelier du peintre, *par Patrick Grainville*
R361. Le Train vert, *par Herbert Lieberman*
R362. Autopsie d'une étoile, *par Didier Decoin*
R363. Un joli coup de lune, *par Chester Himes*

R364. La Nuit sacrée, *par Tahar Ben Jelloun*
R365. Le Chasseur, *par Carlo Cassola*
R366. Mon père américain, *par Jean-Marc Roberts*
R367. Remise de peine, *par Patrick Modiano*
R368. Le Rêve du singe fou, *par Christopher Frank*
R369. Angelica, *par Bertrand Visage*
R370. Le Grand Homme, *par Claude Delarue*
R371. La Vie comme à Lausanne, *par Erik Orsenna*
R372. Une amie d'Angleterre, *par Anita Brookner*
R373. Norma ou l'exil infini, *par Emmanuel Roblès*
R374. Les Jungles pensives, *par Michel Rio*
R375. Les Plumes du pigeon, *par John Updike*
R376. L'Héritage Schirmer, *par Eric Ambler*
R377. Les Flamboyants, *par Patrick Grainville*
R378. L'Objet perdu de l'amour, *par Michel Braudeau*
R379. Le Boucher, *par Alina Reyes*
R380. Le Labyrinthe aux olives, *par Eduardo Mendoza*
R381. Les Pays lointains, *par Julien Green*
R382. L'Épopée du buveur d'eau, *par John Irving*
R383. L'Écrivain public, *par Tahar Ben Jelloun*
R384. Les Nouvelles Confessions, *par William Boyd*
R385. Les Lèvres nues, *par France Huser*
R386. La Famille de Pascal Duarte, *par Camilo José Cela*
R387. Une enfance à l'eau bénite, *par Denise Bombardier*
R388. La Preuve, *par Agota Kristof*
R389. Tarabas, *par Joseph Roth*
R390. Replay, *par Ken Grimwood*
R391. Rabbit Boss, *par Thomas Sanchez*
R392. Aden Arabie, *par Paul Nizan*
R393. La Ferme, *par John Updike*
R394. L'Obscène Oiseau de la nuit, *par José Donoso*
R395. Un printemps d'Italie, *par Emmanuel Roblès*
R396. L'Année des méduses, *par Christopher Frank*
R397. Miss Missouri, *par Michel Boujut*
R398. Le Figuier, *par François Maspero*
R399. La Solitude du coureur de fond, *par Alan Sillitoe*
R400. L'Exposition coloniale, *par Erik Orsenna*
R401. La Ville des prodiges, *par Eduardo Mendoza*
R402. La Croyance des voleurs, *par Michel Chaillou*
R403. Rock Springs, *par Richard Ford*
R404. L'Orange amère, *par Didier van Cauwelaert*
R405. Tara, *par Michel del Castillo*
R406. L'Homme à la vie inexplicable, *par Henri Gougaud*
R407. Le Beau Rôle, *par Louis Gardel*
R408. Le Messie de Stockholm, *par Cynthia Ozick*

R409. Les Exagérés, *par Jean- François Vilar*
R410. L'Objet du scandale, *par Robertson Davies*
R411. Berlin mercredi, *par François Weyergans*
R412. L'Inondation, *par Evguéni Zamiatine*
R413. Rentrez chez vous Bogner !, *par Heinrich Böll*
R414. Les Herbes amères, *par Chochana Boukhobza*
R415. Le Pianiste, *par Manuel Vázquez Montalbán*
R416. Une mort secrète, *par Richard Ford*
R417. La Journée d'un scrutateur, *par Italo Calvino*
R418. Collection de sable, *par Italo Calvino*
R419. Les Soleils des indépendances, *par Ahmadou Kourouma*
R420. Lacenaire (un film de Francis Girod), *par Georges Conchon*
R421. Œuvres pré-posthumes, *par Robert Musil*
R422. Merlin, *par Michel Rio*
R423. Charité, *par Éric Jourdan*
R424. Le Visiteur, *par György Konrad*
R425. Monsieur Adrien, *par Franz-Olivier Giesbert*
R426. Palinure de Mexico, *par Fernando Del Paso*
R427. L'Amour du prochain, *par Hugo Claus*
R428. L'Oublié, *par Elie Wiesel*
R429. Temps zéro, *par Italo Calvino*
R430. Les Comptoirs du Sud, *par Philippe Doumenc*
R431. Le Jeu des décapitations, *par Jose Lezama Lima*
R432. Tableaux d'une ex, *par Jean-Luc Benoziglio*
R433. Les Effrois de la glace et des ténèbres, *par Christoph Ransmayr*
R434. Paris-Athènes, *par Vassilis Alexakis*
R435. La Porte de Brandebourg, *par Anita Brookner*
R436. Le Jardin à la dérive, *par Ida Fink*
R437. Malina, *par Ingeborg Bachmann*
R438. Moi, laminaire, *par Aimé Césaire*
R439. Histoire d'un idiot racontée par lui-même
par Félix de Azúa
R440. La Résurrection des morts, *par Scott Spencer*
R441. La Caverne, *par Eugène Zamiatine*
R442. Le Manticore, *par Robertson Davies*
R443. Perdre, *par Pierre Mertens*
R444. La Rébellion, *par Joseph Roth*
R445. D'amour P. Q., *par Jacques Godbout*
R446. Un oiseau brûlé vif, *par Agustin Gomez-Arcos*
R447. Le Blues de Buddy Bolden, *par Michael Ondaatje*
R448. Étrange séduction (Un bonheur de rencontre)
par Ian McEwan
R449. La Diable, *par Fay Weldon*
R450. L'Envie, *par Iouri Olecha*
R451. La Maison du Mesnil, *par Maurice Genevoix*

R452. La Joyeuse Bande d'Atzavara
par Manuel Vázquez Montalbán
R453. Le Photographe et ses Modèles, *par John Hawkes*
R454. Rendez-vous sur la terre, *par Bertrand Visage*
R455. Les Aventures singulières du soldat Ivan Tchonkine
par Vladimir Voïnovitch
R456. Départements et Territoires d'outre-mort
par Henri Gougaud
R457. Vendredi des douleurs, *par Miguel Angel Asturias*
R458. L'Avortement, *par Richard Brautigan*
R459. Histoire du ciel, *par Jean Cayrol*
R460. Une prière pour Owen, *par John Irving*
R461. L'Orgie, la Neige, *par Patrick Grainville*
R462. Le Tueur et son ombre, *par Herbert Lieberman*
R463. Les Grosses Rêveuses, *par Paul Fournel*
R464. Un week-end dans le Michigan, *par Richard Ford*
R465. Les Marches du palais, *par David Shahar*
R466. Les hommes cruels ne courent pas les rues
par Katherine Pancol
R467. La Vie exagérée de Martin Romana
par Alfredo Bryce-Echenique
R468. Les Étoiles du Sud, *par Julien Green*
R469. Aventures, *par Italo Calvino*
R470. Jour de silence à Tanger, *par Tahar Ben Jelloun*
R471. Sous le soleil jaguar, *par Italo Calvino*
R472. Les cyprès meurent en Italie, *par Michel del Castillo*
R473. Kilomètre zéro, *par Thomas Sanchez*
R474. Singulières Jeunes Filles, *par Henry James*
R475. Franny et Zooey, *par J. D. Salinger*
R476. Vaulascar, *par Michel Braudeau*
R477. La Vérité sur l'affaire Savolta, *par Eduardo Mendoza*
R478. Les Visiteurs du crépuscule, *par Eric Ambler*
R479. L'Ancienne comédie, *par Jean-Claude Guillebaud*
R480. La Chasse au lézard, *par William Boyd*
R481. Les Yaquils, *suivi de* Ile déserte, *par Emmanuel Roblès*
R482. Proses éparses, *par Robert Musil*
R483. Le Loum, *par René-Victor Pilhes*
R484. La Fascination de l'étang, *par Virginia Woolf*
R485. Journaux de jeunesse, *par Rainer Maria Rilke*
R486. Tirano Banderas, *par Ramon del Valle-Inclan*
R487. Une trop bruyante solitude, *par Bohumil Hrabal*
R488. En attendant les barbares, *par John Michaël Coetzee*
R489. Les Hauts-Quartiers, *par Paul Gadenne*
R490. Je lègue mon âme au diable, *par German Castro Caycedo*
R491. Le Monde des Merveilles, *par Robertson Davies*